O que encontrei do outro lado da vida

25,00
ESR
E

O que encontrei do outro lado da vida (Perante a eternidade)

3-04-03-9.000-73.000

Direção editorial:
Flávio Machado

Capa (criação):
Flávio Machado

Assistente de produção editorial e revisão: **Fernanda Rizzo Sanchez**

Chefe de arte:
Marcio da Silva Barreto

Diagramação:
Décio Lopes

Fotolito da capa:
Digigraphic

Impressão:
OESP Gráfica S/A

Dados Internacionais de Catalogação na Publicação (CIP)
(Câmara Brasileira do Livro, SP, Brasil)

O que encontrei do outro lado da vida / por espíritos diversos; psicografado pela médium Vera Lúcia Marinzeck de Carvalho. São Paulo : Petit, 2002.

ISBN 85-7253-088-6

1. Espiritismo I. Carvalho, Vera Lúcia Marinzeck II. Título.

02-0377 CDD: 133.93

Índices para catálogo sistemático:

1. Romances espíritas : Espiritismo 133.93

Impresso no Brasil, no outono de 2003.

O que encontrei do outro lado da vida

Psicografia de

Vera Lúcia Marinzeck de Carvalho

Por

Espíritos Diversos

petit editora

Rua Atuaí, 383/389 - Vila Esperança/Penha
CEP 03646-000 - São Paulo - SP
Fone: (0xx11) 6684-6000
Endereço para correspondência:
Caixa Postal 67545 - Ag. Almeida Lima
03102-970 - São Paulo - SP

www.petit.com.br
petit@petit.com.br

Outros livros psicografados pela médium
Vera Lúcia Marinzeck de Carvalho:

Com o espírito Antônio Carlos

- Reconciliação
- Cativos e Libertos
- Copos que Andam
- Filho Adotivo
- Reparando Erros de Vidas Passadas
- A Mansão da Pedra Torta
- Palco das Encarnações
- Aconteceu
- Muitos são os Chamados
- O Talismã
- Aqueles que Amam
- O Diário de Luizinho (infantil)
- Novamente Juntos
- A Casa do Penhasco
- O Mistério do Sobrado
- O Último Jantar

Com o espírito Patrícia

- Violetas na Janela
- Vivendo no Mundo dos Espíritos
- A Casa do Escritor
- O Vôo da Gaivota

Com o espírito Rosângela

- Nós, os Jovens
- A Aventura de Rafael (infantil)
- Aborrecente, não. Sou Adolescente!
- O Sonho de Patrícia (infantil)
- Ser ou não Ser Adulto
- O Velho do Livro (infantil)
- O Difícil Caminho das Drogas

Com o espírito Jussara

- Cabocla

Com espíritos diversos

- Valeu a Pena!
- Deficiente Mental: Por que Fui Um?

Livros em outros idiomas

- Violets by my Window
- Violetas en la Ventana
- Reconciliación
- Deficiente Mental: ¿Por que Fui Uno?
- Viviendo en el Mundo de los Espíritus

Dedico

Ao meu esposo, companheiro e amigo,
Hercílio Antônio de Carvalho.

A médium

Sumário

Introdução

Partir é pôr-nos a um caminho que nos levará a algum lugar. Desencarnar é deixar a carne, passar para o plano espiritual.

Muitos temem a morte do corpo físico por não compreenderem este fenômeno natural; todos nós temos o nosso momento de partir. Outros temem a desencarnação por terem cometido erros, receando as conseqüências. A desencarnação não é igual para todos, não há cópias, porque também, cada um, por seu livre-arbítrio, planta o que quer na existência encarnada. E cada um tem o lugar a que faz jus, que, por suas vibrações, merece.

A desencarnação para muitos é castigo, para outros felicidade, depende somente das obras boas ou más que o acompanharão. Deve-se viver encarnado, sabendo, sem se iludir, que um dia, num momento, se partirá para o plano espiritual. Será como mudar. Muda-se de plano, do físico para o espiritual, mas não se muda a individualidade. Com a desencarnação, passa-se a viver de outra forma e é necessário conscientizar-se de que se vai só, sem levar sequer uma célula do corpo carnal. Nada nos pertence, tudo é do Pai, às vezes, julgamos erradamente ser nosso. Devemos fazer tudo para evoluir e refletir, pois o homem pode refletir o amor, a bondade e a fraternidade que pertencem ao Pai. O que aprendemos no bem é o tesouro que a traça não rói, é a riqueza verdadeira.

Muitos são os livros espíritas que trazem notícias do plano espiritual. Atendendo ao meu convite, alguns amigos narraram sua desencarnação: como foi e o que encontraram com a partida, como se acharam Do outro Lado da Vida.

Oportunidades de aprender, de melhorar, de viver no bem, todos têm. Que o encarnado procure se instruir, mas que esta instrução não seja somente conhecer intelectualmente, são necessárias a compreensão profunda do fato e, conseqüentemente, a vivência do mesmo, pois as nossas vibrações, pelas quais somos categorizados, não provêm dos nossos conhecimentos mentais, mas, sim, daquilo que somos no nosso interior. Devemos conscientizar-nos enquanto encarnados, para que não sejamos um necessitado desencarnado. Desejo aos meus leitores uma tranqüila partida e feliz estada no plano espiritual.

Antônio Carlos[1]

1 – Todas as notas deste livro são de Antônio Carlos.

O Pedaço Mais Lindo do Céu

Meu corpo definhava pelo câncer, há meses estava doente, meus pulmões estavam comprometidos. Sentia muitas dores. Estava internado no hospital da cidade onde morava, numa enfermaria, não mais conseguia me erguer do leito. Ali estava havia mais de dois meses.

– A bênção, meu pai!

Três dos meus filhos, os mais velhos, vieram ver-me.

Olhei-os, estavam silenciosos e tristes, observando-me assustados, pertinho de minha esposa.

– Deus os abençoe! – esforcei-me por responder.

Silêncio.

Nossos olhares falaram. O deles de emoção por me verem esquelético, o meu por vê-los tristes e inseguros.

– Zezinho, temos que ir – disse Marta, minha esposa. – Amanhã volto.

Sorri, não agüentava falar mais, vi-os sair de cabeça baixa. Sofria por eles também. Senti que não os veria mais naquela circunstância. A enfermeira veio para aplicar mais uma injeção, estava pele e osso; e mesmo uma simples injeção era difícil de aplicar, doía-me tudo.

A enfermeira estava silenciosa, três homens doentes faziam-me companhia.

Pus-me a pensar e, numa seqüência de fatos, revi toda a minha existência.

Nasci numa família pobre e muito honesta. Quis estudar, sonhava em aprender, não consegui. Quando pequeno, cantava em francês sem que ninguém me ensinasse, aprendia tudo facilmente, era muito inteligente. Estranhei que acontecimentos esquecidos por mim naquele momento fossem recordados e entendidos. Cantava em francês porque o falava em outra existência, era inteligente porque estudara, e já havia adquirido muitos conhecimentos. Na adolescência, aprendi a lidar com madeira e, trabalhando com ela, tornei-me bom carpinteiro e era conhecido como Zezinho Carpinteiro. Conheci Marta, namoramos e casamos; ela era pobre como eu, seus pais vieram morar conosco. Sonhávamos em ter filhos, Marta não engravidava. Soubemos que um padre numa cidade vizinha fazia milagres e Marta insistiu em ir. Fomos, ele nos abençoou e deu um remédio para ela tomar. Meses depois, Marta engravidou. Tivemos cinco filhos, o mais velho estava com nove e o caçula com dois anos. Éramos religiosos, católicos fervorosos. Meu sogro já havia falecido e dona Margarida, minha sogra, ainda morava conosco. Gastamos todo o dinheiro que tínhamos com a minha doença. Começara com tosse, dores no peito, fui ao médico, tomei remédios, piorei e constatou-se que estava com câncer. Piorando, fui internado na enfermaria, onde não pagava, isto tranqüilizou-me, pois já não tínhamos mais dinheiro nem para os remédios. Trabalhava como autônomo, fazendo a parte de madeiramento em construções. Sem meu salário, Marta passou a lavar roupas de fregueses. Marta não se queixava, falava que estavam todos bem, era valente a minha esposa.

Recordando meu passado, senti paz, nada fizera de mal, ou errado, estava em paz com Deus e com minha consciência.

– Zezinho, vem, filho! Venha comigo!

Vi uma luz suave e, no meio dela, minha mãe. Tive medo, minha mãe desencarnara há tempo. Sorrindo muito, linda, ela insistiu:

– Zezinho, vem comigo, deixa seu corpo, este irá morrer, fecha os olhos. Vem, filhinho!

Senti muita emoção, há dias indagara-me: "Quando morrerei? Quando ficarei livre deste sofrimento?" Meu medo acabou, senti enorme confiança, fechei os olhos e orei:

– Pai, entrego ao Senhor a minha alma!

Recordei a oração que Jesus fez no Calvário, estava sendo sincero, a forma da morte do corpo não importa, o importante é estar preparado, consciente de que vivi retamente e que a tranqüilidade me acompanharia.

Senti minha mãe me soltando, tirando-me do leito. Fiquei cerca de cinqüenta centímetros acima da cama. Tonto, olhei para baixo e me vi, estava feio, branco, magérrimo, olhei para minha mãe, ela desligava-me da matéria. Respirava fazendo muito barulho, parei, meu companheiro de enfermaria tocou a campanhia e veio rápido um enfermeiro.

– Zezinho parou de respirar! – disse um dos doentes.

O enfermeiro examinou meu corpo.

– Zezinho Carpinteiro morreu! Vou chamar o médico.

Não demorou, um médico chegou e auscultou-me:

– Morreu mesmo! Coitado! – falou o médico. – Descansou, sofreu tanto e não se queixava.

– Venha, Zezinho, você está livre.

Mamãe abraçou-me apertado, quis chorar de emoção.

– Não, filho, não chore, abrace-me e confie.

Adormeci.

Acordei em outra enfermaria. Recordei tudo, ouvi conversas, me ergui, sentei, estranhei por ter conseguido me mover tão facilmente.

– Senhor José, como está?

Um enfermeiro sorriu para mim. Não soube responder. Pus-me a observar o local, a enfermaria estava lotada, todos os leitos ocupados e conheci alguns de seus ocupantes que sorriam para mim, dando boas-vindas; eram pessoas que tiveram antes de mim o corpo morto. Apenas sorri, senti-me encabulado.

– Zezinho!

Minha mãe entrou sorrindo, abraçou-me amorosamente. Diante do meu embaraço, explicou:

– Meu filho, seu corpo morreu, vivo está em espírito, viverá agora em outro plano, aqui está para recuperar-se.

Meu filho, aqui é um pouco diferente do céu que esperava ou purgatório; está numa das casas de Deus. Logo estará bem e, como eu, poderá ajudar os que sofrem.

Sorri. Não tive mais dores. Logo estava a andar, voltara a ser forte, sadio, como era antes de adoecer, com aparência dos meus trinta e quatro anos.

Em pouco tempo saí do hospital, fui para uma escola aprender a viver no plano espiritual.

A colônia era o lugar mais lindo e encantador que já vira. Sentia-me muito bem; entretanto, a saudade dos meus doía-me. Mamãe dizia-me:

– Zezinho, quando desencarnamos sentimos também a separação. Não é fácil nos separarmos dos entes que amamos, temos de ser fortes e tudo fazer para nos acostumar a essa nova forma de viver. E, quando deixamos filhos pequenos, necessitados de nós, a preocupação é grande, porém, lembre-se de que ninguém é orfão do amor de Deus.

Eu não reclamava, nem podia, era profundamente grato e desejava ser útil. Mas chorava de saudade, e minhas preocupações eram muitas. Estariam eles bem? Mamãe trazia-me notícias deles. Sentiam muito minha morte, mas estavam conformados com a vontade de Deus.

Obediente, grato, procurava estar atento às lições, mas, por mais que me esforçasse, estava sempre pensando neles. Amargurava-me pensando que estava tendo tudo, sadio e não passava por nenhuma dificuldade, enquanto eles eram privados de muitas coisas.

– José – disse Anselmo, meu instrutor –, você teve uma existência muito útil, cada um tem o aprendizado a que faz jus, seus filhos não passam pela orfandade à toa, tudo tem sua razão de ser. Tive a permissão para levá-lo a visitá-los, poderá vê-los, estar com eles por algumas horas. Lembro a você que está indo para visitá-los, não deve ficar. Embora possa ter vontade, deve regressar no horário previsto.

Contente, apreensivo, aguardei o momento de regressar ao meu lar. No horário marcado, voltei com Anselmo.

Meu lar pareceu-me mais pobre ainda. Eram cinco horas da tarde, Anselmo abraçou-me, confortando-me. Controlei-me. Abracei-os.

– Mamãe já vem!

Olhei pela janela. Marta vinha do emprego, trabalhava como doméstica. Chegou, beijou as crianças. Estava cansada, envelhecera, foi para a cozinha conversar com sua mãe. Anselmo e eu fomos com ela.

– Arrumou o dinheiro? – perguntou dona Margarida.

– Não. Como conseguir tanto dinheiro? Estamos sem pagar o aluguel há meses, estou devendo na farmácia. O que ganho só dá para comprar alimentos, mesmo assim, tão pouco. Vamos, mamãe, ser despejados.

Senti uma dor no peito, esforcei-me para não chorar, olhei para Anselmo pedindo socorro.

– Calma, José, calma! – disse-me.

Encostei-me na parede e fiquei olhando-os. Vieram jantar. Anselmo, alegre, deu passe em todos, fluidificou a sopa, tornando-a energética e até mais saborosa.

Meu instrutor aproximou-se de mim:

– José, sabe de alguém que possa ajudar sua esposa? Alguém para quem trabalhou?

Falei alguns nomes sem muita esperança.

– Vou sair e volto logo. Fique aqui, procure estar tranqüilo.

Anselmo saiu e fiquei a observá-los. Enquanto jantavam, dona Margarida e Marta arrumavam a cozinha. Após as crianças foram para a sala.

Minha filhinha de seis anos ficou olhando o céu pela vidraça. O céu estava muito bonito, as primeiras estrelas surgiam.

– Venha ver, José Luiz, que estrela linda! – exclamou.

Meu filho mais velho aproximou-se da janela:

– É perto daquela estrela que papai está! – disse ele.

– Como sabe? – Minha filhinha indagou.

– Porque é muito bonita. Meu pai está no lugar mais lindo do céu!

Bateram na porta. Marta, apreensiva, foi abrir. O sr. Luiz, um senhor para quem trabalhei muitas vezes, sorriu cumprimentado-a; ao seu lado estava Anselmo.

– Dona Marta – disse ele –, verificando minha contabilidade antiga, vi que deixei de pagar um serviço que o Zezinho me fez; pago-o agora para a senhora.

Marta suspirou aliviada, pegou o dinheiro oferecido e sorriu, agradecendo. O sr. Luiz fez um agradinho às crianças e saiu. Olhei para Anselmo.

– Este senhor não me devia nada!

– Foi a forma que ele encontrou para ajudar sem envergonhá-la. Foi fácil, pedi a ele para ajudar e atendeu-me.

– Que senhor bondoso!

Marta contou o dinheiro.

– Puxa, mamãe, que dinheirão! Dá para pagar o aluguel atrasado da casa e dois meses adiantado, como também a dívida da farmácia. Zezinho nunca comentou esse serviço, o sr. Luiz sempre pagou direito.

– Não vamos pensar nisso, o importante é que ele trouxe o dinheiro e resolvemos nosso problema. Sinto, Marta, que é Zezinho que está nos ajudando.

Marta saiu rápido e foi pagar suas dívidas.

Aproximava-se a hora de voltarmos, quis ficar com eles. Se não conseguisse ajudá-los, sofreria junto. Anselmo nada disse, sabia que a luta era minha e que cabia a mim a escolha.

Foram se deitar, Marta orou e agradeceu a Deus a graça recebida. Estava mais tranqüila; sem dívidas o sustento seria mais fácil.

Beijei um por um dos meus filhos. Ao chegar perto de José Luiz, este orava por mim. Emocionado, fique a ouvi-lo:

"Jesus, proteja meu paizinho. Sofreu tanto, foi tão bom, será sempre nosso exemplo. Sei que ele está no Céu, no pedacinho mais lindo porque ele merece. É lá que deve ficar, é lá o seu lugar. Não o deixe sentir muita saudade. Diga-lhe, Jesus, que estamos bem e que sempre o amaremos. Amém!"

– No pedacinho do céu! – exclamei. – Anselmo, meu filho quer que eu fique no plano espiritual!

– José, seu filho deseja o melhor para você. Puro, inocente, ele quer que você esteja bem e que não se preocupe com eles. Não é mais aqui o seu lugar, e não se entristeça mais pensando que está bem e eles não. A vida dá a cada um a lição de que necessita. Nem sempre a vida encarnada de privações é a pior; passarão por necessidades que nada mais serão que provas vencidas. Você, estando bem, poderá vir aqui muitas vezes e ajudá-los.

– Está na hora, Anselmo, voltemos.

Voltando, olhei a estrela do pedacinho mais lindo do céu, agradeci a Deus. Ninguém é orfão do amor divino nem por ter pais desencarnados.

Voltei diferente, confiante, estudei e trabalhei, muitas vezes voltei ao meu antigo lar para visitá-los, muito os ajudei, mendiguei a corações generosos a ajuda financeira para eles. Nunca devemos perder a esperança, dificuldades são vencidas quando aceitas e entendidas. Meus filhos cresceram, são pessoas maravilhosas, de quem eu, como pai, posso dizer:

"São de vocês, meus filhos, o pedaço mais lindo do céu."[2]

José

2 – O pedaço mais lindo do céu! Todos os entes queridos desejam, para seus familiares desencarnados, o pedaço, o recanto mais lindo do plano espiritual.

A Primeira Excursão

Há tempos estava doente, havia piorado nos últimos dias, sabia que era grave. Meus filhos e familiares reuniram-se à cabeceira do meu leito, olhavam-me amorosamente. Sempre temi o câncer e sentia que ele me consumia, ninguém me falara, mas sabia, lia nos olhares, nos pensamentos.

Entrei em coma, as dores diminuíram, como também o mal-estar terrível. Sabia que estava em coma por ter escutado comentários e por não conseguir mais falar.

Acontecimentos de minha vida iam e vinham sem ordem. Lembrei pedaços de minha infância, adolescência, tantos acontecimentos de que nem me recordava mais.

Também via meus filhos, netos, irmãos, familiares e amigos ao meu lado, via mais nitidamente um rapaz que no começo confundi com meu filho José Carlos. Depois, senti que era

Wálter, meu primogênito desencarnado. Ele não dizia nada, apenas sorria; sua presença acalmou-me, dando-me confiança. Já o havia visto em outra ocasião. E ele permaneceu comigo, não tive medo, aceitei-o, então ele segurou minha mão. Entendia-o, falava-me com o pensamento, pedia-me calma porque logo desencarnaria. Estremeci, a morte apavorava-me, senti meus erros, tive medo. Tranqüilamente, ele afirmou:

"Se errou, mamãe, quitou seus erros com o sofrimento. Não tema, também desencarnei e aqui estou vivo."

"E os outros? – indaguei em pensamento. – Meus outros filhos que desencarnaram?"

Wálter sorriu.

"Mamãe, confie, depois saberá."

Tive treze filhos, lembrei-me de cada gravidez, dos partos, da morte de sete deles.

Wálter me dava tanta confiança que quis ir com ele. Meu corpo parou de respirar. Ainda escutei:

– Amaziles morreu!

Dormi.

Acordei e pensei estar no mesmo hospital, senti-me melhor e, por um instante, pensei que melhorara. Dormia, acordava e sentia-me cada vez melhor.

Uma enfermeira contou-me que meu corpo morrera e que estava em tratamento num posto de socorro. Chorei, achei tudo muito estranho, pois me sentia doente ainda.

– Como se pode morrer e ter doenças? – indaguei.

A enfermeira respondeu, bondosamente:

– O perispírito[3] recebe os reflexos do corpo carnal, está doente porque julga estar. Pense na saúde que a terá. Faça um esforço que melhorará.

Melhorei de fato, logo estava andando e conversando. Senti um aperto no coração, uma enorme tristeza ao pensar que deveria ficar por ali, ter o plano espiritual por moradia. A saudade dos meus doía-me, a vontade de estar em minha casa era forte.

– Dona Amaziles – escutava carinhosamente dos trabalhadores do posto de socorro –, não queira estar em sua casa, nada poderá ser como antes, seu corpo morreu, vive agora em espírito; não queira estar em seu lar, nada do que é matéria lhe pertence mais.

Um dia, quis realmente voltar, queria estar e ficar em minha casa, no meu lar onde por tantos anos vivi. Voltei. Mesmo sem saber, fui impulsionada por minha vontade forte.[4]

Minha casa estava triste, fechada, todos os móveis nos seus lugares, estava limpa como sempre. Fiquei lá dentro mas quis sair e não consegui, não passava pelas portas fechadas nem conseguia abri-las.

Dormia, acordava, andava pela casa, rezava. No começo não achei ruim, depois a solidão começou a incomodar-me,

---

3 – Perispírito: Substância semimaterial que serve de primeiro envoltório ao espírito e liga a alma ao corpo.

4 – Para volitar é necessário ter consciência desse fato e saber fazê-lo. Em casos como este, de os espíritos voltarem ao lar, eles volitam pela força da vontade, sem saber o que lhes ocorre; depois não o fazem mais, até que venham a aprender.

como também a fome. Comecei a adoecer novamente, a sentir os mal-estares, as dores. Arrependi-me por ter querido voltar, mas, não sabia como regressar ao posto de socorro. Os orientadores tinham razão, nada era como antes, a desencarnação muda tudo.

Minha filha Anézia abriu a casa, fora limpá-la. Olhei esperançosa para ela, porém não me viu, não tinha como nem por que me ver. Ela suspirou triste e comentou:

– Faz seis meses que mamãe morreu!

Chorei sentida, fiquei no quarto num canto. Estive assim algum tempo, comecei a ficar perturbada, ora entendia que desencarnara, ora não, e aí me sentia abandonada e muito triste.

De repente, vi um espírito lindo que sorriu para mim e disse:

– Vem, irmã! Ajudo você!

Pegou na minha mão e, rápido como relâmpago, fui colocada ao lado de uma senhora. Percebi a diferença entre nós, ela era encarnada.

Olhei para os lados para entender onde estava, aí vi minha filha, Vera, orando. Chorei de emoção, não consegui falar, mas escutei as recomendações, deveria ir novamente para o plano espiritual, aceitar meu estado de desencarnada.

Era o que queria. Agradecida, levaram-me para a colônia espiritual da cidade em que morei quando encarnada.

Fui novamente internada no hospital. Desta vez lutei contra a saudade, esforcei-me para acostumar-me. As orações de milhas filhas chegavam até mim, motivando-me:

"Mamãe, fique aí, esforce-se para sarar, procure sentir-se bem, alegre-se. Nós a amamos."

Logo estava bem, fui encaminhada a uma escola na qual aprendi a viver como desencarnada. Tempos levei para poder visitar meus familiares, só tive permissão quando estava realmente bem e adaptada e por ter também nas minhas filhas o entendimento espírita; elas motivaram-me a regressar. Vê-las deixou-me emocionada, amenizei a saudade. Minha filha viu-me e falou feliz:

– Bem-vinda, mamãe, alegro-me em vê-la bem. Veio visitar-nos?

Respondi, ela me ouviu. Que alegria! Conversamos animadas, voltei contente querendo progredir mais, os incentivos foram muitos para que estudasse.

Voltei a rever Wálter, conversamos muito. Desencarnou nenê, via-o adulto, porém jovem; tomou a forma física de sua encarnação anterior. É parecido com um dos meus filhos do qual é também companheiro de algumas encarnações.

Wálter explicou que éramos afetos de muitas encarnações e que ele sempre vinha ver-me, pôde desligar-me e socorreu-me quando desencarnei, porém, caberia somente a mim a decisão de ficar ou não no posto de socorro. E que fora Vera, minha filha, quem pedira por mim numa reunião espírita, e os trabalhadores espirituais vieram socorrer-me. Dos sete filhos desencarnados, só dois estavam no plano espiritual, os outros voltaram a encarnar.

Recebi a visita de Belenice, a filha desencarnada, ela está num plano superior, porém, foi Wálter quem me acompanhou e ajudou. Como mãe, chorei pela desencarnação de meus filhos, a dor é grande, mas quem entende o processo desencarnatório tem a certeza de que afetos não se separam, se ausentam. Compreendi que não me separei de nenhum deles e que agora estou perto de Wálter e, sempre que possível, de todos eles.

Estudei, passei a trabalhar e estou muito feliz.

Antônio Carlos, ao convidar-me para que narrasse minha desencarnação, sugeriu que falasse de minha primeira excursão no Umbral[5]. Atendi com gosto.

Estava vendo o Umbral pela primeira vez. Partimos da colônia, onde já havíamos tido aulas teóricas sobre a Zona Inferior da crosta terreste. Totalizávamos vinte e oito pessoas e dois instrutores. Hospedamo-nos num posto de socorro localizado no Umbral nos cinco dias da excursão que lá ficamos.

As palavras do nosso instrutor faziam eco em minha mente:

– Tudo o que existe tem sua finalidade. O Umbral existe no plano espiritual de toda a Terra, conheceremos o pedacinho que fica no espaço espiritual em que os postos de socorro e os trabalhadores estão sob a direção da colônia onde residimos. Peço-lhes não se deixar dominar pela emoção, vamos aprender e, como em todo aprendizado, há regras a serem obedecidas e respeitadas. Poderão nessa

5 – Umbral: Ambiente espiritual trevoso e infeliz criado pela força do pensamento de milhares de criaturas em desajuste.

nossa excursão ter uma visão do que seja a Zona Inferior. Não iremos dessa vez às cidades organizadas pelos nossos irmãos enraizados no mal nem nos abismos que poderão chocá-los; esses locais vocês conhecerão em outra oportunidade.

Gostamos do posto de socorro; por fora parecia uma enorma mansão, murada, alta; entramos por um portão grande e resistente. Não se pode imaginar a beleza e singeleza de dentro pela visão externa.

Ao entrarmos, nos defrontamos com um pátio grande com muitos canteiros floridos. Para melhor descrevê-lo, direi que tem duas partes: a da frente do portão e a dos fundos. Os socorridos ocupam a parte dos fundos, onde estão as grandes e confortáveis enfermarias. A parte da frente, bem menor, é reservada aos trabalhadores do Posto e onde também ficamos. Tudo é simples e prático; enfeites, somente alguns quadros e flores. Tem um bonito salão, onde nos reunimos e onde os trabalhadores se reúnem para ouvir música e palestrar. Passamos muitas horas ali reunidos e dos trabalhadores escutamos muitos fatos interessantes.

As enfermarias estão sempre repletas de desencarnados socorridos, alguns em condições de muito sofrimento, outros em recuperação e aguardando o encaminhamento para as escolas onde entenderão a vida desencarnada.

Nossa permanência no posto de socorro não foi somente de hóspedes, auxiliamos no que nos foi possível.

Saíamos pela manhã e voltávamos à tarde. Esse posto de socorro está localizado na zona menos tensa e há vários postos de socorro pela região e inúmeros pelo Brasil e por toda a Terra. O Sol é visto entre névoas, clareando pouco e, caminhando pelo Umbral, vai escasseando a luz solar; à noite, a escuridão é completa.

A paisagem é triste, por isso nos foi recomendado que deveríamos nos esforçar para não nos envolvermos com a tristeza reinante.

O ar é fétido e o odor varia: há cheiro de podridão, lama, mofo etc.

A vegetação é pouca, escasseando conforme entramos no Umbral. Vimos árvores ressecadas e torcidas, o que nos causou estranha impressão, embora soubéssemos que as plantas nos são sempre úteis e que ali servem também de alimentação. Há em maior quantidade vegetação rasteira de cor escura, sem beleza; não se vêem muitas espécies e não encontramos flores. Vimos muitas pedras, há lugares lodosos, outros arenosos, alguns pedaços secos, parecendo chão de terra batida; nesses pedaços não há vegetação. Pequenos filetes de água correm lentamente, há lugares em que a água é mais clara; em outros, é misturada com barro.

Assustamo-nos com os animais, porém são muito úteis; não vimos muitos nem muitas espécieis. Nosso instrutor explicou:

– Como na Terra variam a vegetação e os animais conforme a região, no Umbral também. Os animais não atacam e muitos se alimentam de fluidos nocivos.

Assustamo-nos só na primeira vez, depois entendemos que eles fazem parte do local. Vimos algumas aves de perto, são desprovidas de beleza, mas, ao entender como são úteis, não pudemos tachá-las de feias.

Há muitos desencarnados que sofrem no Umbral, outros se adaptam e dizem gostar, se afinam. Há gosto para tudo: assim como há os que gostam de tomar banho, de higiene, para outros tomar banho é castigo.

Muitos dos que se dizem moradores transitam pelo Umbral e pela Terra, entre encarnados, principalmente os habitantes das cidades dos Umbrais.

Vimos grupos de arruaceiros passarem cantando e gargalhando; cantam tanto canções da moda encarnada como blasfêmias e cantigas eróticas. São na maioria sujos e enfeitados, trazem armas, andam normalmente em bandos. Mas pudemos ver alguns solitários e outros limpos nem tão enfeitados.

Mas há os que sofrem. Não existe na Terra sofrimento que se possa comparar ao que se sofre ali. A maioria desses irmãos parece enlouquecida.

– Semelhantes se atraem – dizem pelos Umbrais, explicando que ninguém sofre injustiças, são reações das más ações.

Gemidos ouvi por todo lado, muitos se arrastam pelo chão, são farrapos humanos. Se algum deles é nosso conhecido, não o reconhecemos facilmente, sentimos ou intuímos ser a pessoa, porque muitos parecem animais.

Ouvem-se também muitas pragas, blasfêmias e injúrias.

Ali se sofre de tudo: doença, fome, sede, frio, dores, com a sujeira e com a humilhação dos bandos que se divertem atormentando os demais.

Muitos são presos e há outros que se servem de escravos.

Quando se faz inimigos, estes estão sempre querendo se vingar um do outro; desencarnados, continuam as desavenças. Se encarnado fez muitas maldades e não foi perdoado, quando desencarnado, além de sofrer a reação, se defrontará com muitos infelizes que receberam suas maldades e não o perdoaram. Estes últimos sofrem também, mas fazem horrores por vigança, torturam, fazem-no de escravo e o humilham. Os imprudentes que não seguem os ensinos de Jesus, que fazem seus atos sem pensar em receber de volta suas reações, os que plantam sem esperar colher, muitos anos passam em sofrimento, no Umbral.

Encabulados, ouvimos do instrutor a explicação:

– Não há felicidade no Umbral; os que sofrem se reajustam pela dor, sentem o inferno enquanto ficam aqui, sofrem pelos erros, por não terem aproveitado as oportunidades de aprender pelo amor, purificam os fluidos nocivos que por si mesmos criaram. Não se adaptam a essa forma de viver, sentem-se infelizes e não escondem o fato; aqui seus atos são cobrados pelas vítimas e por eles mesmos. A maioria sente remorso destrutivo e acha merecido o sofrimento, mas, quando reconhece seus erros com humildade e sinceridade, chama por socorro e recebe auxílio. Os outros que vimos, os arruaceiros, também não são felizes, iludem-se na farsa da hipocrisia. A maioria vive aqui e também entre os encarnados, os quais vampirizam, e muitos a estes servem, em troca de favores. Esses irmãos sofrem, mas disfarçam, e muitos deles querem, por inveja e maldade, que cada vez mais encarnados, ao terem o corpo físico morto, venham para cá. Odeiam os bons e os temem por serem opostos a eles e por saber que um dia terão que dar contas de seus atos.

Há muitos buracos onde quase sempre há infelizes presos. Descemos em três deles e lá dentro a escuridão é completa. Descemos por cordas e acendemos nossas lanternas. Ao sermos vistos, ouvimos gritos estridentes de socorro. Nesses buracos onde descemos, retiramos todos de lá. Estavam sujos, maltrapilhos, fétidos, não pude deixar de pensar que em outra ocasião, quando encarnada, teria pavor em vê-los e nojo em tocá-los. Estavam descabelados, muitos com aparência de dementes, falando palavras desconexas. Muitos, ao se verem livres, fugiram; outros, cansados e humildes, pediram auxílio e os levamos ao posto de socorro.

Vimos para estudo o que pensavam esses infelizes. A maioria vê seus erros sem parar. Muitos desses irmãos que sofrem não conseguem sair do Umbral sem ajuda, alguns ficam presos, outros vagam sem parar e outros se arrastam.

Vimos de longe uma Casa Giratória. É um posto de socorro que não é fixo, é móvel, instalado num lugar onde é colocado fogo, tudo queima, até a terra, purificando o local. Muitos espíritos fogem desesperados deixando seus prisioneiros livres para o socorro. Muitos pedem abrigo e são socorridos. Quando o fogo chegou perto da Casa Giratória, esta subiu, girou e volitou para outro local. Este fato nos encantou.

Fomos atacados quando andávamos pelo Umbral. Ouvimos gritos, insultos, blasfêmias, nos atiraram imundícies, pedras e se escoltaram com os que vagavam em sofrimento. Cobrimo-nos com uma rede magnética, e, tranqüilamente, nosso instrutor defendeu-nos com tiros magnéticos, atingindo-os, e não àqueles que os escoltavam. Logo após os primeiros tiros, fugiram, deixando suas vítimas, e quase todos puderam ser socorridos por nós.

O instrutor explicou-nos:

– Não podemos levar os que não querem socorro. Para receber ajuda, é necessário querer. Podemos dar o alimento, ajuda, mas não obrigar a comer, receber. Um espírito rebelde num posto de socorro traria inúmeros problemas aos trabalhadores do bem. Quando despertarem para a verdadeira realidade, buscarão o auxílio.

No último dia à tarde, vimos uma tempestade. Na Terra, para os encarnados estava chovendo forte. No Umbral, as tempestades são, na maioria, assombrosas: raios cortam o ar queimando fluidos, o barulho é ensurdecedor, a chuva cai chicoteando, limpando, formando mais lama. Aconchegamo-nos uns aos outros. O instrutor pediu calma, pois logo passaria a tempestade. Os raios iluminavam a estranha paisagem e pudemos ver tudo melhor. Irmãos infelizes fugiam apavorados sem saber ao certo para onde ir. As árvores, vistas à luz dos relâmpagos, assustavam-nos. Ficamos numa clareira esperando a chuva parar e para observar tudo. Após trinta minutos a tempestade abrandou, o ar estava mais leve e menos fétido. Muitos espíritos que vagam pelo Umbral correm com medo até os postos de socorro querendo abrigo momentâneo; porém, só entram os que podem receber auxílio. Passamos a última noite no posto de socorro, a voz harmoniosa do instrutor esclareceu-nos:

– Há muito que se fala do Inferno, podemos tirar nossas conclusões pelo que vimos no Umbral. Há lendas, fantasias, mas na realidade há muito sofrimento, só que, pela infinita bondade do Pai, não é eterno. O Umbral não é local de felicidade nem agradável de ver. O fogo do remorso queima sem destruir; os capetas, os demônios que espetam, são nossos irmãos ignorantes que se divertem em maltratar seus irmãos. Nada existe sem razão, lembro-lhes de que tudo o que vimos não existiria se não tivesse com quem povoar. Quando a lei do progresso reinar sobre a Terra, a Zona Inferior desaparecerá juntamente com o ódio, o rancor e a vingança.

Após uma ligeira pausa, nosso instrutor, emocionado, finalizou a preciosa lição que nunca esquecerei:

– Vamos mentalizar bem as lições aprendidas pelo amor, para que não seja necessário o aprendizado da dor.

Amaziles

A Vida Continua

Minha desencarnação foi rápida, num acidente de carro, sem grandes conseqüências: bati com a cabeça e meu corpo morreu.

Não vi nem percebi meu desligamento. Recordo-me vagarosamente do acidente em que levei uma pancada, acordei num lugar estranho. Acordei e voltei a dormir muitas vezes, pareceu-me um horrível pesadelo no qual via minha avó paterna, que morrera há tempos, e ouvia meu nome ser pronunciado entre prantos e lamentações.

Até que acordei realmente, sentei no leito e exclamei:

– Não quero dormir mais! Alguém quer explicar o que se passa comigo?

– Calma, amigo! – exclamou um senhor simpático, aparentando ser um enfermeiro.

– Calma coisa nenhuma! Quer dizer onde estou e que brincadeira é esta?

– Ninguém brinca com você. Está num hospital.

Exclamei alguns palavrões, o enfermeiro olhou-me severo, calei-me por instantes, pelo menos não falei mais palavrões.

– Que hospital é este! Estou numa enfermaria? Meu pai sabe disto?

– Meu jovem – tranqüilamente o enfermeiro dirigiu-se a mim –, acalme-se, relaxe. Está de fato numa enfermaria, que há de errado?

– Enfermaria é lugar para indigentes. Quero meus pais! – falei, nervoso; como não deu resultado, abrandei. – Por favor, senhor, desculpe-me, estou confuso, nervoso, tenho tido pesadelos horríveis, o senhor quer avisar o médico que acordei, e a meus pais? Nada tenho contra enfermarias, mas podemos pagar e... avise-os, por favor.

O senhor sorriu e saiu. Observei a enfermaria, era grande, espaçosa e muito limpa. Todos os leitos estavam ocupados e ninguém prestava atenção em mim. Parecia que cada um cuidava de seus próprios problemas, que não pareciam poucos, já que estavam internados em enfermarias. (Esse fato ocorre dependendo da ala em que se está internado. Em muitas enfermarias, onde os internos estão melhor, há muita conversação e uns tentam consolar e ajudar os outros.)

Aí, tive uma crise.

"Ronaldo, meu filho, Ronaldo..."

Escutei a voz da minha mãe em prantos, procurei-a sem entender de onde vinha a voz, percebi então que vinha de dentro de mim. E outras vozes à dela se juntaram, e eram a de minha noiva, meu pai e tias. Gritei desesperado:

– Pára! Pára!

O enfermeiro correu ao meu leito e, carinhosamente, passou suas mãos sobre mim, dando-me um passe. Fui me acalmando, vi minha avó, ela me abraçou.

– Estou louco! – exclamei.

Dormi. As crises se repetiram, até que em uma delas saí do leito e volitei rápido sem entender ou saber o que fazia; senti ser sugado, puxado. Fui impulsionado para junto de minha mãe que chorava desesperada no cemitério juntamente com os outros familiares. Chorei junto dela e com ela voltei para casa. Meu Deus, que sofrimento! Julgava-me louco e, por momentos, perdia realmente a noção de tudo. Minha mãe chorava e, em desespero, eu chorava também.

Tendo alguns familiares espíritas, logo eles entenderam minha situação e tentaram ajudar-me. Bendigo a Doutrina Espírita e seus seguidores, que entendem que a vida continua e tudo fazem para ajudar os que partem desesperados.

Sem conseguir entender fui conduzido a uma reunião espírita. Colocaram-me perto de um médium, pude falar e ser ouvido. Quando me mostraram que meu corpo morrera, chorei desesperado. Acalmaram-me e levaram-me ao posto de socorro, para a mesma enfermaria.

Revoltei-me. Por que fui ter o corpo morto? Jovem, estudante, uma pessoa honesta, de ótima família, com mil sonhos a realizar. Por que eu?!

Fiquei nervoso, senti raiva de todos e, na primeira vez que minha mãe voltou a me chamar, fui novamente até ela.

Fiquei em casa, no meu ex-lar, chorava junto com meus irmãos, com minha noiva, com meus pais, com a outra avó e tias.

Novamente outra incorporação; nesta pus para fora toda a minha revolta, nem prestei atenção na orientação que me deram; como não quis ir para o posto de socorro, deixaram-me em casa. Porém, passei a entender melhor minha situação, compreendi que eles choravam pelo meu desencarne e que eu para eles era alguém que se separara deles para sempre, que acabara.

Passei a ver minha avó desencarnada, tive raiva dela como se fosse culpada de minha tragédia e disse-lhe muitos desaforos. Ela somente olhava-me, compreendendo-me.

Novamente convidaram-me para uma incorporação, não quis ir, mas, sem saber explicar como, lá estava. Ouvi trechos de *O Evangelho Segundo o Espiritismo*[6], de Allan Kardec[7], vi pessoas encarnadas, meus parentes e outros que, como eu, tiveram o corpo morto e estavam felizes. Prometi a mim mesmo que não ia chorar, emudeci ao encostar num médium. Ao escutar palavras carinhosas que

6 – KARDEC, Allan. *O Evangelho Segundo o Espiritismo*. Petit Editora: São Paulo/SP.

7 – Allan Kardec foi o pseudônimo adotado pelo ilustre professor Hipollyte Léon Denizard Rivail, que realizou a tarefa de apresentar livros organizados de maneira metódica, didática e lógica, comentando e explicando os ensinamentos da Doutrina Espírita.

me explicavam que a morte do corpo é um aprendizado de que necessitamos, chorei muito. Senti alívio pela primeira vez e fui abraçado à minha avozinha para o posto de socorro. Dormia e acordava com as vozes, lamentos dentro de mim que me enlouqueciam. Resisti algumas vezes, mas, em uma crise mais forte, voltei novamente ao lar.

Os meus familiares revoltavam-se e eu também.

– Deus não é justo! Meu filhinho morrer tão cedo, um bom filho, um ser útil, com tantos vagabundos por aí.

Repetia também, tendo uma pena profunda de mim mesmo, julgando meu estado pelas palavras deles, de um infeliz, desgraçado e que nunca mais ia ser feliz.

Um parente espírita repreendeu meus familiares; escutei-o com raiva.

– Vocês não devem continuar a agir assim, não é justo! Deus é Pai e nos ama igualmente. Estar encarnado ou desencarnado são fases de nossa vida. Ronaldo não acabou, pode ele ser feliz e muito feliz se vocês deixarem, ajudarem. Não o chamem, não lamentem tanto. Conformem-se, não se revoltem e tenham fé.

Tentaram, minha mãe pôs-se a orar mais e comecei a rezar também; nesses instantes sentia-me melhor. Mamãe começou a sentir-me em casa. Quando dormia, saía do corpo e nós dois chorávamos muito; ela passou então a ajudar-me.

"Filho, acho que eles, os espíritas, têm razão, você deve ir embora, tentar ser feliz."

Não queria, a felicidade para mim teve fim, perdi tudo sem saber o porquê, a noiva a quem eu amava, meus irmãos, minha casa, meus sonhos de trabalho, de ganhar dinheiro, de casar e de ter filhos. Nunca pensei que ia ter o corpo físico morto e ter de viver de outro modo, como desencarnado.

Novas incorporações e comecei a compreender. Fui deixando a revolta, mas, fui levado mais três vezes ao posto de socorro e voltava. Até que eu mesmo decidi ficar; não se chora pelo leite derramado. Se outros tiveram o corpo morto e eram felizes, eu também poderia ser, estava cansado de sofrer; dois anos se passaram, inaproveitáveis. Aceitei o amparo de vovó.

Lutei contra a tristeza, tentei ser gentil, sempre fora, era alegre, amigo, todos gostavam de mim; mas nem sempre conseguia, tinha ainda dó de mim; a autopiedade é péssima e livrar-se dela não é fácil.

Um dia vovó veio ao meu encontro, alegre.

– Ronaldo, você vai poder escrever à sua mãe. Ela foi a um médium psicógrafo e você, por ele, poderá ditar algumas palavras aos seus.

– Vovó! Que direi? Como posso eu, estando morto, escrever?!

– Meu neto, morto está seu corpo material, você está vivo! Levarei você, ditará e o médium escreverá. Vamos fazer um rascunho, ajudo você. Pense, meu neto, que quer dizer aos seus?

– Que me ajudem não lamentando, que se conformem e que entendam que não acabei, que estou vivo, que os amo.

Assim fiz. Foi fácil, cheguei perto do senhor, do médium, e ditei. Senti-me bem, contente, e minha mensagem foi de otimismo e carinho.

Meus pais acreditaram, receberam e mensagem como algo de mim, foi como um balde de água que apagou a fogueira da dor. Conformaram-se, passaram a sofrer diferente, resignados. Senti que me desligara deles, pois estávamos ligados de forma errada. A vida continuou para eles e para mim. O amor com compreensão une sem machucar.

Dediquei-me ao estudo. Anos depois, estava apto a visitá-los sempre e sozinho; passei a trabalhar e a estudar. Ajudo jovens que desencarnaram e que sentem o desenlace. Sou feliz, bem mais feliz que nos meus sonhos poderia ser, como encarnado. Estou sempre sorrindo e, com a graça do Pai, posso escrever, dar notícias minhas aos meus, num intercâmbio de carinho e amor.

Muitos encarnados intrigam-se do porquê de muitos desencarnados não ficarem em postos de socorro, lugares estes descritos por tantos como lindos e encantadores. Antônio Carlos incumbiu-me de fazer essa pesquisa por ter sido um que voltou muitas vezes de um posto de socorro.

Primeiramente, quero dizer que são realmente encantadores os postos de socorro, as casas de auxílio a desencarnados. São muito limpos, enfeitados com seus jardins floridos, mas são simples, embora acolhedores.

Entretanto, como nem todos têm o amarelo como cor preferida, nem todos gostam igualmente desses lugares de auxílio e amor.

Para os postos de socorro, vão os que são levados por equipes de socorristas que trabalham nos Umbrais, na Terra e nos centros espíritas ou os que são levados por parentes e amigos. Lá ficam os que querem, embora sejam avisados da necessária permanência para o bem próprio.

Nem todos os desencarnados podem ser levados a um local de socorro, como os que foram muito maus, os que não pedoaram, os rancorosos, os ateus e os que muito erraram ou pecaram, prejudicando a outros ou a si mesmos. Embora no plano espiritual não sejamos julgados de conformidade com os encarnados, aqui a verdade é nua e crua e não há enganos.

Mas vamos em auxílio dos que podem ser socorridos e levados para lá, onde ficam e são gratos. Dificilmente um que muito sofreu sai do posto de socorro sem autorização. A dor ensina...

No meu caso e em grande parte dos casos, os desencarnados são atraídos por seus entes queridos que choram desesperados, chamando-nos. Às vezes, preferem sofrer juntos, querem ficar com os que amam. Um provérbio popular e antigo diz que “as lágrimas em demasia e o desespero dos que ficaram molham as asas do que tiveram os corpos mortos, impedindo-os de irem para o céu ou para o plano espiritual”. Grande verdade há nesse provérbio. Só os desencarnados muito preparados agüentam o apelo desse chamamento e também aqueles que por terem merecimentos são levados para as colônias, onde esses clamores chegam mais fracos. Despreparados como eu não aguëntam e voltam.

Outros não recebem esses chamamentos, mas a saudade dos familiares e dos bens materiais que julgam ser deles é forte, e saem dos postos de socorro indo até eles.

Há os que não se acostumam e preferem viver entre encarnados, só que os fluidos pesados que encontram fazem com que logo se perturbem ou adoeçam.

Alguns se revoltam, não queriam a morte do corpo. Nessa revolta culpam outros, até os que os auxiliam, não ficam e voltam na esperança de viver no corpo novamente, iludem-se e pensam ser encarnados.

E há os que não gostam do lugar. Os postos de socorro são acolhedores, mas simples, como já disse. Lá são todos tratados igualmente e alguns exigem diferença, quartos privados, atenção exclusiva. Outros querem o produto de seus vícios: fumo, bebidas, certos alimentos como carne (lá não se matam animais para comê-los). Ou, ainda, querem outras comodidades. Alguns não gostam de ser repreendidos por falar palavrões. Para haver ordem são necessários regulamentos e disciplina obedecidos, e muitos não gostam. Porém é necessário. Em todo local de progresso é preciso haver ordem.

Alguns querem visitar a família a todo momento e ficam descontentes ao saber que no período de internação há dias e horas certas. Mesmo quando estão bem.

Muitos acham aborrecido, saem e só irão dar valor quando o sofrimento os fizer entender que a felicidade está nas coisas simples e certas. Muitos não dão valor ao aprendizado, ao socorro oferecido pelo amor de muitos que trabalham para o bem. Se a dor ensina, aí o socorro é desejado e valorizado.

Alguns outros fatores em menor porcentagem levam os desencarnados a desprezar o socorro nessas casas de amor e proteção.

Concluí que o despreparo, a falta de informação correta sobre a morte do corpo físico, é a principal causa da não-aceitação. Porque a vida continua. Encarnado ou desencarnado são fases, ambas podem ser belas e aproveitáveis ao espírito que quer progredir.

Ronaldo

O Educandário

Estava para completar onze anos quando comecei a sentir fraqueza, desânimo e dores pelo corpo. Meus pais, muito atenciosos, levaram-me ao médico pediatra que, me achando anêmica, receitou vários remédios.

Minha família era de classe média e só meu pai trabalhava. Vivíamos bem, mamãe tomava conta da casa, de mim e dos meus irmãos, um menino e uma menina mais novos que eu. Meus avós, os quatro, estavam encarnados, morávamos todos na mesma cidade e nos dávamos muito bem.

A desencarnação não muda a aparência, a não ser que se queira mudá-la por algum motivo. Então, ao descrever-me, digo: sou loura, cabelos compridos ondulados, olhos verde-azulados, pele rosada, dentes perfeitos, meiga e delicada. Meus familiares costumavam dizer que eu parecia um anjo. Quando fiquei doente, meu avô dizia:

– Soninha, você vai virar um anjo quando morrer, como viram as crianças quando morrem.

Gostava muito de estudar, cursava a quinta série, era excelente aluna, mas gostava mesmo era de estudar piano e tocava-o muito bem.

Os remédios não fizeram efeito, sentia um desânimo tão grande que fazia minhas tarefas com enorme esforço. Minha mãe levou-me novamente ao médico que, estranhando, pediu vários exames.

Não notei nenhuma preocupação nos meus familiares, porém, minha agonia começou. Levaram-me a vários médicos, novos exames. Tinha horror a injeções e passei a tomá-las todos os dias, detestava ver sangue e tive que tirar para exames muitas vezes. Não houve melhora, parei com as aulas de piano e já não conseguia ir mais freqüentemente ao colégio, porém, mesmo com notas menores, fui aprovada. Nos primeiros dias de férias, fui internada; não gostava de hospitais. Lá recebia por via intravenosa sangue e soro, sentia menos fraqueza, mas, às vezes, nessas internações tomava um remédio que me fazia vomitar muito.

Estava apática, não ligava mais para meus brinquedos, nem para o Rex, nosso cachorro de que tanto gostava. Todos os familiares enchiam-me de carinho e atenção. Percebi que mamãe emagrecera, papai estava triste, vendera o carro para pagar meu tratamento. Não consegui ir mais à escola; fui naquele ano poucas vezes no primeiro semestre, depois saí, esperando voltar logo que sarasse.

Acreditava em minha cura, sentia que iria sarar, ficar sadia, porém só piorava. Ficava mais tempo internada, tomei tantas injeções que perdi a conta, no começo contava-as. Tinha dores, muita fraqueza, fiquei magrinha, meu lindo cabelo caiu... Entendi que estavam fazendo todo o possível para que sarasse, como compreendi que tudo o que sofria era necessário. A leucemia me definhava...

Minha mãe, com a paciência das mulheres que têm realmente o sentimento materno, velou por mim dia e noite, minha avó materna cuidou também de mim, enquanto minha avó paterna cuidava dos meus irmãos. Éramos religiosos, orávamos reunidos, não houve revolta; a fé e a confiança nos sustentavam. E aqueles que aceitam os sofrimentos os tornam mais leves.

Estava há dias no hospital, ligada a tubos, soros, respirava com dificuldade, estava triste, cansada. Fizera doze anos semanas antes; nem para orar tinha forças, não conversava, e com esforço respondia em monossílabos. Numa quente tarde de outono, desencarnei: fui apagando como uma lâmpada de azeite quando este acaba. Dormi, nada vi ou senti. Mas meu sono foi diferente, dormi por tempo um sono gostoso e reparador. Às vezes, acordava, sentia-me bem, acomodava-me e voltava a dormir. Dias depois, acordei por um período maior e vi sorrindo ao meu lado uma senhora de aspecto agradável. Beijou-me na testa, ajeitou-me no leito. Respirava normalmente; sorri ao me ver sem tubos e agulhas.

– Melhorei? – indaguei.

– Sim, muito – respondeu com voz agradável.

Dormi de novo, muito feliz. Acordava e sentia-me cada vez melhor e aliviada por não estar tomando mais nenhuma injeção. Sentia-me bem, tranqüila e estava sarando. Comecei a ficar mais períodos acordada e a senhora que cuidava de mim pediu para chamá-la de Vó Nanda, disse-me que era minha parente. Tornamo-nos amigas, ela era bondosa e paciente comigo. Estava numa enfermaria com mais três crianças que, como eu, estavam em convalescença. No começo, achei normal, pois ficava tanto em hospitais. Depois, estranhei a falta dos meus familiares, senti-os tristes, parecia que eles choravam por mim. Pensava: não há motivos para estarem tristes, eu estava bem, melhorava, até meus cabelos cresciam rapidamente.

Vovó Nanda orava comigo, nas orações pedia sempre por meus pais, irmãos e avós. Lia em voz alta o livro *O Evangelho Segundo o Espiritismo*, livros de história que narravam a morte do corpo, desencarnação e a continuação da vida. Comecei a interessar-me pelo assunto e a desconfiar, até que perguntei:

– Vovó Nanda, a senhora desencarnou?

– Sou avó do seu pai, há muito que tive meu corpo morto.

Chorei baixinho, entendi que o meu também já não existia. Tinha certeza de que ia sarar, se não fora possível com meu corpo físico, sararia sem ele, viera curar-me no céu, pensei. Fiquei triste, quis estar perto deles. Tive saudade, senti suas lamentações e tristezas. Não fiquei triste muito tempo, recebi a visita de Rebeca, uma amiguinha que com seis anos desencarnara num acidente. Éramos da mesma idade, lembrei dela ao vê-la, não tive medo; ela estava tão linda, feliz, abraçamo-nos comovidas. Ela animou-me, falou que era feliz e que eu não deveria ficar triste, deveria esforçar-me por sarar, para conhecer as belezas do lugar em que iria morar. Suas visitas muito me reconfortaram.

Estava no hospital infanto-juvenil, numa ampla enfermaria com mais três crianças com quem fiz amizade, e passamos a brincar no pátio e no jardim do hospital. Esforcei-me realmente. Quando começava a entristecer, quando a saudade doía, orava com fé, procurava distrair-me. Só chorava quando sentia mamãe e papai chorando por mim; aí, as tias que cuidavam de nós davam-me passes e então adormecia.

Recuperei-me. Meus cabelos ficaram como antes da minha doença, fiquei rosada, sadia. Gostei tanto de sarar, ficar animada, que não gostava de pensar na fraqueza que senti no período de doença; a saúde é uma dádiva. Agradeci, feliz, minha recuperação e recebi alta do hospital.

Vovó Nanda levou-me a outra parte do Educandário; Rebeca recebeu-me contente, recebi um quarto ao lado do dela. Gostei muito do meu alojamento, ou quarto, um cômodo grande, só meu, onde guardaria meus pertences, onde me refugiaria para estar só. Decorado simplesmente, tinha lindos quadros nas paredes, uma grande janela com vista para o jardim e um piano tão lindo que me emocionei ao vê-lo.

– É presente meu – disse Vovó Nanda –, pode tocar e estudar quando quiser.

Muitas meninas vieram dar-me boas-vindas, agradaram-me. Fiquei acanhada, tímida, sorria com seus gracejos, eram todas tão delicadas, educadas, que logo fiz amizade com todas elas.

Vovó Nanda não morava ali, mas em outra parte da colônia; pôde cuidar de mim enquanto estava me recuperando, agora voltaria ao seu trabalho. No Educandário, residiam alguns trabalhadores e os internos, mas vovó vinha visitar-me todos os dias, até que me acostumei. Esperava ansiosamente por essas visitas, abraçava-a e chorava de saudade, queria estar sadia, mas no meu lar. Soube por vovó que os meus familiares estavam bem de saúde e que aos poucos estavam reorganizando as finanças. Sentiram e sentiam a minha falta, não se revoltaram, eram religiosos e confiavam nos desígnos de Deus.

Estranhei o céu, não virei anjo, como dizia meu avô, não recebi asas. Aos poucos, entendi que a vida continua, meu corpo morreu, mas meu espírito continuaria aprendendo. Ali, como na Terra, era morada provisória, porque estava no círculo dos que encarnam e desencarnam no planeta Terra. Quando meu espírito estava no corpo de carne, estava encarnada; agora vivia desencarnada, sem o corpo físico, mas com outro mais leve, sutil, o perispírito. Deveria ficar ali por um determinado tempo.

Uma orientadora convidou-me a continuar o estudo de música. Alegrei-me com isso. Conheci tia Zulmira, minha mestra de piano, da qual me tornei grande amiga. Ela me disse que fora professora de piano quando encarnada, continuava a ensinar desencarnada e era com muito gosto que o fazia: amava a música, tal como eu.

Aos poucos foram diminuindo os períodos de tristeza, como também meus familiares choravam menos por mim. Recebo suas orações; receber orações sinceras é como receber cartas, presentes, são lembranças carinhosas que nos fazem tão bem. Principalmente no período de adaptação, receber orações com otimismo ajuda-nos muito. Mamãe ajudou-me, orava e sempre dizia: "Soninha, esforce-se por estar bem; quero-a feliz e alegre, amamos você".

Todas as colônias do Brasil e quase todas pela Terra têm uma parte especial para receber os que desencarnam na infância e na adolêscencia. A colônia onde estou localiza-se no plano espiritual da cidade onde morei encarnada. Ela é grande, bonita, limpa e organizada. Chama-se Educandário "A Caminho da Paz". O Educandário "A Caminho da Paz" é grande, muito verde, com muitos animaizinhos dóceis, muitos pássaros e borboletas que voam tranqüilos, sem receio, porque não são maltratados. Há um pequeno bosque com lindas árvores e muitas flores, onde estão os esquilos, coelhos, lindos bichinhos que, ao nosso chamado, vêm ao colo. Gosto muito do bosque, dos animais e do pequeno lago de águas cristalinas. O Educandário é circundado por jardins com flores coloridas e perfumadas.

Na ala esquerda, está o hospital onde os que, como eu, vêm com o perispírito doente ou com a impressão da doença e que necessitam de um tratamento para recuperação. O hospital é muito bonito, as pessoas que lá trabalham têm muita paciência e são bondosas, há muitas enfermarias, todas confortáveis e bonitas. Os pacientes são divididos por faixa etária, ficando, após sete anos, meninas de uma lado e garotos de outro. Não há injeções nem tratamentos dolorosos, recebem muitos passes e remédios energéticos magnetizados. Na parte dos fundos do hospital fica o centro de recuperação para crianças e jovens viciados em droga, roubos e delitos; estes ficam separados. Lá, recebem tratamento, orientação e estudos.[8]

Na ala direita do Educandário está o bosque, na parte central estão os prédios onde ficam os alojamentos, salas de aula, biblioteca, salões de música e palestra. A biblioteca é grande, linda, com muitos livros infantis e para jovens; são volumes que trazem a quem os lê boas informações e aprendizado. Muitos são cópias dos que

---

8 – Criança é difícil vagar, só quando já tenha praticado muito delitos e que o espírito, desencarnado na infância, pertence ou pertenceu antes de encanar a alguma organização do mal. Temos notícias de jovens que, infelizmente, vagam e sofrem. Vemos jovens frios assassinos, ladrões, viciados que desencarnam revoltados e não podem ser socorridos, nem o querem. No Educandário, no centro de Recuperação, estão os que foram socorridos, após algum tempo. Viciados desencarnados são atraídos para seus afins, porém, isto não é regra, cada caso é um caso. Crianças e jovens ao desencarnarem, embora o espírito possa ser milenar, são tratados com imenso carinho pelo abnegados socorristas.

são editados para os encarnados. A literatura espírita é muito lida e tem até fãs-clubes de alguns escritores. Gosto de ler e sou uma freqüentadora assídua da biblioteca.

A parte do internato onde estão os alojamentos é dividida por faixa etária e, após os sete anos, também por sexo. O Parque[9] – assim chamamos o alojamento dos pequenos – é muito bonito, com um enorme playground com brinquedos de todos os tipos, com muitas tias e tios, pessoas experientes e bondosas que cuidam deles. Antes dos sete anos, os que desencarnam podem voltar a ter a aparência que tinham antes de encarnar; estes não ficam no Educandário.

Há os que reencarnam logo e os que ficam e gostam muito, e são muito bem tratados. São crianças felizes, ativas, cantam em corais, estão sempre rindo e em festas.[10] Só os alojamentos são divididos. Todas as outras atividades são feitas em conjunto. Meninos e meninas fazem passeios juntos, estudam, fazem teatro etc. Podemos passear nas nossas horas de folga por toda a colônia e visitar, com orientadores, todos os seus departamentos. Porém, após conhecer a colônia, gostamos mesmo de ficar no Educandário. Temos palestras importantes, a música é muito ouvida e aprendida, há grupos em corais, bandas, teatro, outros aprendem pintura e alguns tipos de artesanato. Há jogos, todos sem violência, aprende-se

9 – Não é nome dado em todas colônias.

10 – André Luiz narra em seu livro sobre estes corais, que realmente fazem belíssimas interpretações.

esporte com educação; há jogos de competições muito a gosto dos meninos, que aprendem a se comportar por meio deles. Tudo isso é feito para que as crianças não estranhem a morte. Ela é uma mudança, mas não deve ser uma mudança brusca. Os orientadores, mestres, tudo fazem para que aqui seja um lugar de felicidade.[11]

Freqüentamos as aulas conforme o nosso grau de conhecimento. Todos estudam, há recém-chegados que se recusam a estudar, dizendo não gostar, mas aos poucos são convencidos e acabam gostando. Temos matérias de conhecimentos gerais, ensinamentos de como viver desencarnado, como é o plano espiritual, estudamos o livro *O Evangelho Segundo o Espiritismo*, recebemos orientações de como nos comportar diante dos problemas e de como ajudar a todos os nossos irmãos.

Os que desencarnam acima da idade de quinze anos vão para uma parte do Educandário destinada aos adolescentes. Ali não há brinquedos, mas outras atividades mais a gosto deles. A idade depende de cada um, há os que desencarnam jovens e se sentem adultos; passam pelo Educandário e depois de um tempo vão para a colônia para estudos ou trabalhos. Outros desencarnam não tão jovens, mas se sentem imaturos, gostam do Educandário e lá permanecem. O tempo de permanência depende da necessidade de cada um; uns ficam mais tempo, outros

11 – Soninha nos narra bem o Educandário, parte das colônias onde, por um determinado tempo, ficam crianças e jovens. É um local de harmonia, paz, onde tudo é feito para educar com felicidade.

saem logo e, por diversos motivos, reencarnam ou vão para outros locais para estudos e trabalho.

As crianças e jovens que estiveram encarnados com deficiências mentais são tratados em hospitais especiais. Recuperados, podem, se necessário, estudar no Educandário, como também os que se suicidam ficam em locais próprios para o socorro e aprendizado. Muitas crianças e jovens que desencarnaram em situações violentas passam um determinado tempo em salas especiais, localizadas na região centro-direita, perto do bosque. Depois, juntam-se aos outros.

Conheci muitos Educandários em diversas colônias, todos são lindos, agradáveis, com parques, bosques e belíssimos jardins.

São todos bem semelhantes. Gostei, gosto muito de estudar aqui, o aprendizado se faz objetivamente, de forma clara, simples, estuda-se para saber.

É triste ver amigos sofrerem quando seus familiares não aceitam sua morte física, chamam-os chorando em desespero e eles sentem. Às vezes entram em crise e choram, são ajudados nessas ocasiões pelos orientadores que quase sempre os adormecem para que se recuperem. Todos sentem, no começo, muita saudade; se os entes queridos encarnados compreendem, ajudando-os, tudo fica mais fácil. Crianças e jovens acostumam-se facilmente, talvez porque não estejam ligados muito à matéria, a bens que julgam possuir. Ao compreenderem a vida como um todo, com seus períodos encarnados e desencarnados, aceitam e amam a vida desencarnada, às vezes bem mais que a encarnada. Aqui não sinto frio nem calor, não tenho dores, estou sempre calma, comungando com as vibrações locais.

Os recém-chegados ficam sempre com internos de mais tempo e, se possível, com os que já conhecem ou conheceram encarnados para ser ajudados por eles. Conversa-se sempre sobre familiares, como desencarnaram, estudos etc.

Todos podem saber notícias de seus entes queridos, receber, em alguns casos, visitas de alguns membros da família encarnada e de familiares desencarnados que já foram socorridos e que estão bem espiritualmente. Quando estamos aptos, isto é, quando já nos acostumamos, entendemos, podemos visitar a família encarnada, primeiramente acompanhados por orientadores, depois sozinhos em certas ocasiões especiais. E, quando se aprende a ser útil, podemos em algumas ocasiões ajudar os que amamos, sem, contudo, fazer as lições que lhes competem. A morte do corpo não deve amedrontar, deve-se viver encarnado no bem, ter a consciência do dever bem cumprido e de que a mudança virá com a desencarnação. Nunca devemos chorar desesperados de revolta pelos que desencarnam. Afetos ausentam-se, orar por eles com sinceridade, carinho, otimismo, ajuda-os muito, porque necessitam se acostumar com a nova forma de viver. Pais cujos filhos desencarnaram na infância e adolescência, saibam que esses Educandários são lindos, agradáveis e que aqui somos felizes; só nos entristecemos quando sabemos que sofrem desesperados por nossa partida. Porém, os sofrimentos com compreensão, resignação, não nos atrapalham. Seria muito pedir para que se alegrem, mas se acreditarem nesta narração poderão se tranqüilizar. Somos felizes.

Devemos aprender a ter esperança.

Esperança é esperar um futuro melhor.
Fé é crer nesse futuro.
Trabalho é construí-lo.
Amar é ter tudo facilitado.
Aprender é bem compreender a vida.
A vida é una.
Com coragem, passamos por seus diversos períodos.
A vida continua!
Amo viver!
A vida é linda!

Soninha

O Amor Anula o Carma

Passei mal de madrugada, senti fortes dores no peito e falta de ar. Fui levado para o hospital, o médico internou-me na U.T.I., vi as primeiras medicações, depois fui perdendo os sentidos, a noção de tudo; senti como se dormisse.

Acordei num local estranho, numa enfermaria, com roupas que não eram minhas, num leito confortável, e um simpático enfermeiro veio solícito até mim.

– Senhor Benedito, como está?

– Bem...

Não sei nem o porquê, mas desconfiei que algo de extraordinário acontecera, as lembranças da dor, do hospital vieram-me com outras bem estranhas. Vi meus meninos (adultos, porém, para mim, sempre meus meninos!) chorando de mansinho, orando por mim. Fiquei a cismar um tanto confuso, o enfermeiro simpático sentou-se ao lado do meu leito.

– Senhor Benedito, com que se preocupa?

Tinha vergonha de conversar com estranhos, ainda mais se esses estranhos fossem como o enfermeiro, educado, pessoa instruída. Porém ele era tão agradável, seu sorriso tão bondoso, que acabei falando:

– É que é estranho isto aqui, estou confuso, o senhor poderia dizer o que aconteceu comigo?

– O seu corpo morreu e...

– Ufa! Só isso?

– Vive agora em espírito e está entre amigos. A esposa do senhor está aí fora, não quer vê-la?

– Sim! Quero!

Sara, minha esposa, havia desencarnado muito tempo atrás, sofri muito com a separação, nos queríamos muito bem. Sara entrou na enfermaria, sorrindo.

– Dito, meu Dito! Que alegria vê-lo!

Ver Sara foi uma felicidade, abraçamo-nos contentes, conversamos muito. Sara vinha visitar-me três vezes por dia, recuperei-me logo. Não estranhei o plano espiritual, o posto de socorro para onde fui levado. Não acreditava mesmo no céu nem no inferno, confiava que existia continuação da vida, só que não fazia idéia de como seria, encantei-me com tudo. Fui morar na colônia, junto de Sara e amigos, fui estudar e trabalhar.

Mas uma questão encabulava-me. Desde rapazinho tinha muito medo de ficar cego; quando adulto sentia que ia passar pelo sofrimento da cegueira; na velhice não me preocupei mais, parecia que não ia mais ser cego.

Enquanto encarnado não entendi essas preocupações; agora, desencarnado, também não, mas a certeza de que teria de ter passado pela cegueira era forte. Incentivado por Sara, fui conversar com nosso orientador, que ficou de se informar para me esclarecer. Esperei ansioso.

– Benedito – disse meu orientador –, tenho a explicação que o encabula; venha, sentemos neste banco do jardim e conversemos.

Ao sentarmos, lembranças vieram à minha mente. Sara e eu não tivemos filhos e estávamos casados havia tempo quando a irmã de Sara desencarnou, deixando uma menina de dois meses, Leonilda. Ficamos com ela e a criamos como filha. Apesar de não fazer diferença, para simples esclarecimento: éramos todos de pele negra. Sei que a cor não importa, entretanto, para muitos, a cor da vestimenta carnal negra pode ser um aprendizado, uma lição de amor, porque somos todos irmãos e, como reencarnamos inúmeras vezes, podemos ser brancos, negros, amarelos etc. Leonilda cresceu forte e sadia, era trabalhadeira, mas rebelde. Sara e eu tudo fizemos para educá-la no bem. Éramos crentes, íamos ao culto e a levávamos. Ia quando criança, na adolescência não foi mais. Era namoradeira, de namoros passou a amantes e teve cinco filhos, três meninas e dois meninos, que Sara e eu criamos. Quando o último filho de Leonilda tinha dois meses, um homem a matou numa briga esfaqueando-a. Sara e eu sofremos muito e ficamos com os cinco órfãos que nos chamavam de avós. Dois anos depois que Leonilda desencarnou, Sara, por um infarto, também partiu, e fiquei sozinho com as crianças. Tinha que trabalhar como sempre para nosso sustento e agora também em casa. Arrumei vagas numa creche e passei a deixá-los lá para trabalhar. Uma vizinha levava-os pela manhã e buscava-os à tarde. Trabalhava de bóia-fria, isto é, ia de madrugada para a lavoura e voltava à tarde. Meses depois aposentei-me e a situação ficou mais fácil, passei a levá-los e a buscá-los na creche. Continuei a trabalhar; como o que recebia de aposentadoria era pouco, para sobreviver passei a limpar quintais, jardins, trabalhava de servente em construções etc. A creche encarregava-se de levar as crianças à escola, despreocupando-me quanto aos seus estudos. Desde que Sara desencarnou, passei a fazer todos os serviços de casa: lavava, passava, cozinhava, limpava etc., isso de madrugada e à noite. Mesmo quando os meninos cresceram, fazia tudo, porque eles trabalhavam e estudavam e queria poupá-los, fazendo com que descansassem em casa.

A filha mais velha de Leonilda era doente. Quando ficou mocinha passou a ter crises de esquizofrenia, e recebi recomendação médica para interná-la no sanatório. Isso entristecia-me muito, ficava alguns meses do ano no sanatório e outros em casa. Seus irmãos aprenderam a lidar com ela, era difícil, nos dava muito trabalho. Depois que desencarnei, quando ela sai do sanatório fica cada vez com uma das irmãs.

O tempo passou, as crianças foram crescendo, os outros quatro eram fortes, sadios, educados, honestos e trabalhadores, orgulhava-me muito deles. Todos estudaram o ensino fundamental. Os dois rapazes foram trabalhar na indústria, uma mocinha no comércio e a outra de empregada doméstica para poder estudar à noite, e se formou professora. Chorei muito de emoção na festa de formatura. Dois já estavam casados e os outros dois de casamento marcado, quando desencarnei.

Suspirei quando as lembranças acabaram, assustei-me quando vi que o orientador continuava ao meu lado; encabulei-me, não fora educado com ele, mas meu instrutor sorriu para mim e disse:

– Benedito, por erros do passado, você havia escolhido, antes de encarnar, passar pela dor da cegueira, porque assim achava que poderia quitar o carma negativo que o incomodava. Passaria os últimos quinze anos cego. Mas o sofrimento físico faz bem somente a nós mesmos. Acompanhei suas lembranças, desculpe-me, foi somente para ajudá-lo. Você queimou seu carma negativo pelo amor, e a dor não lhe foi necessária. Você amou filhos alheios como próprios, talvez até mais, você foi para seis indivíduos pai, mãe, avô. Dedicou-se a eles, trabalhou por eles, deu bons exemplos, encaminhou-os na boa moral, do bem.

– Nem todos, com Leonilda não conseguimos – eu disse.

– Leonilda, espírito rebelde que atualmente está internada num local de recuperação, só tem palavras de gratidão para você. Não erraram na educação dela, ela que não se exemplificou em vocês. Benedito, quantas noites passou em vigília a cuidar de um deles, que, doentinho, queria atenção? Quantas vezes deixou de se alimentar para que eles comessem? Quando amamos, quando vemos no próximo Deus presente, quando realizamos algo por amor, sem exigir, sem esperar nada em troca, quando fazemos o bem por prazer, esquecendo de nós, como você fez, o carma negativo se anula. O amor cobre, apaga, anula, inúmeros pecados.

– Deus é bom demais! – exclamei. – Que seria das crianças se tivesse ficado cego?!

– Você compreendeu, não poderia ter feito o bem a eles se tivesse ficado cego; como cuidar de alguém, necessitando de cuidados?

– Alegro-me por ter feito o que fiz, ficou mais fácil para mim. A cegueira é triste, sofre-se muito.

– Tudo o que é feito por amor é mais fácil, todos nós temos oportunidades de aprender, de reparar erros, até de nos purificarmos anulando o carma negativo pelo amor. Porém, nem sempre atendemos o amor; e a dor, sábia, vem em nosso auxílio.

– Toda a dor, todos os sofrimentos por que passamos encarnados são para quitar erros? Por carma? – indaguei curioso.

– Benedito, encarnamos por vários motivos, muitos porque gostam: a vida material os atrai; outros, já com entendimento, o fazem para ajudar entes queridos, para reparar erros. Sofremos pelos nossos erros, pelos da atual encarnação e pelos das anteriores, já que desequilibramos as leis. Deus não nos pune, nós é que uma hora temos que reequilibrar essas leis. Todo erro gera sofrimento. Grande parte, ao encarnar, pensa em quitar seus débitos; poucos, como você, fazem pelo amor, e muitos só o conseguem pela dor. Porém, não é somente pelo carma que sofremos. Os que já têm melhor compreensão fazem-no para encontrar resistência e assim evoluir. A maioria se acomoda; só com resistência, com as dificuldades, com o sofrimento é que vão em busca de Deus, da oração, do aprendizado espiritual. E acabam mudando a forma de pensar: eles estudam e seguem exemplificando os ensinos de Jesus. É o sofrimento que nos faz crescer, que nos fortalece espiritualmente. Você, Benedito, além de ter anulado seu carma, com as dificuldades que teve, evoluiu, trabalhou muito, orou, teve fé no Pai e ensinou a outros sob sua guarda a confiar, crer. Passar pela porta estreita, uma existência no bem, exige renúncia, superar as dificuldades, ser resignado na dor. Porém, os que a atravessam, encontram no plano espiritual a felicidade merecida.

– Valeu, sou feliz! Sou grato ao Pai e a todos que me ajudaram.

Benedito

Deficientes no Além

Havia algum tempo pensava na morte. Sentia que iria morrer dentro de pouco tempo, que meu corpo ia falecer e que partiria. Comecei a me preocupar, iria fazer falta tanto ao meu companheiro, tão idoso quanto eu, como ao meu filho deficiente mental. Mãe pensa sempre que é insubstituível.

Preocupada, amargurada, não falei a ninguém da intuição que recebera, que iria voltar logo à pátria espiritual. Meus problemas com doenças se agravaram. Conhecia pouco a Doutrina Espírita, da qual era simpatizante. Comecei a interessar-me mais pelo espiritismo e quis saber como era a vida após a morte. A idéia da separação entristecia-me e queria ficar, principalmente por meu filho doente.

Um dia, uma das minhas filhas levou-me para tomar passe com um senhor, José Carlos, que estava na casa de sua amiga. Já o conhecia e recebera, em outras ocasiões, seu passe. Naquele dia, aproveitando que fiquei a sós com ele, indaguei:

– Como é morrer, José Carlos?

José Carlos sorriu, tranqüilo, transmitindo-me conforto. Ele entendeu-me e, inspirado por seu mentor (agora sei), falou, esclarecendo-me:

– Dona Aparecida, ter o corpo morto é o começo de outra forma de viver – a espiritual. O corpo da senhora morrerá quando chegar a hora e nesse instante deverá estar tranqüila e com o pensamento em Jesus. A vida desencarnada começa com uma grande mudança, partimos só com nossos conhecimentos e obras. A senhora ao desencarnar deverá ser levada a um local de socorro, não pense que será o Céu, mas uma das casas do Pai. Lá se lembrará de todos os seus familiares e amigos, de sua casa, sentirá falta deles, saudade. Porém, desde já, deve entender que não tem retorno, o corpo morre e não se deve voltar a casa, ao lar, sem permissão. Aceitando, tudo fica mais fácil e deverá esforçar-se por acostumar. Recordo à senhora que ninguém é órfão do amor de Deus. Seu filho, antes de ser da senhora, é filho de Deus, por que não o confia ao Pai? Sua deficiência deve ter uma causa justa, não se prenda a ele, não é bom para ninguém. E, se ele passar pela orfandade de mãe, deverá ser outro aprendizado de que necessita. Outras pessoas o amarão e cuidarão dele, por seu amor.

Esses esclarecimentos claros e objetivos fizeram-me grande bem.

Minha doença se agravou, prendendo-me ao leito. Foi necessária uma cirurgia na qual amputaram meu pé.

Passei por estranhos momentos, via pessoas desencarnadas que me animavam, pedindo que tivesse calma. Ouvia conversas de encarnados, médicos, enfermeiras e de familiares. Meu cérebro não reagia ao meu comando. Sabia que cortaram meu pé e, se sarasse, não iria mais andar, como também, se melhorasse, certamente iriam ter de cortar o outro. Orei com fé, pedi a Deus proteção ao meu filho, à família e, se fosse possível, que desencarnasse.

Senti-me melhor, dormi muito tempo, um sono agradável do qual só despertava vagamente pelo choro das minhas filhas.

Quando despertei realmente, senti-me bem e feliz. Sentei-me no leito e observei o local em que estava. Era uma enfermaria; então me lembrei com precisão dos ensinamentos do sr. José Carlos. Por momentos parei de sorrir, logo depois voltei a fazê-lo.

"Devo agir como ele me recomendou, pensei. Se meu corpo morreu, foi para melhor."

Logo depois, uma enfermeira bondosamente esclareceu-me as dúvidas: havia realmente desencarnado.

– Meu pé? – quis saber, vi-o, mexi com ele. – Parece-me bem, não o cortaram?

– Cortaram o pé do seu corpo de carne.

– Hum! – exclamei, estranhando, mas dando graças a Deus por tê-lo perfeito, e ainda mais sem dores.

– A senhora não deve pensar que não o tem. Seu perispírito é perfeito e continuará sendo se assim o quiser ou pensar.

– Quero ter meu pé e andar! – falei com convicção.

O período da adaptação não foi fácil, senti muita falta de minha casa, do meu esposo, dos filhos e netos. O tempo passou. Para entender a vida desencarnada estudei e tenho estudado, passei a ser útil, vivo contente, principalmente porque posso sempre vê-los e abraçá-los. O sr. José Carlos tinha razão, meu filho está bem, é cuidado com muito carinho por amor a mim e a ele também. Não posso dizer que não dá trabalho, mas a vida continua e sei que estarei com ele um dia. Ao pensar nesse encontro, fiquei a imaginar como ele voltaria, aqui também seria deficiente? Indaguei ao meu instrutor que gentilmente me esclareceu:

– Dona Aparecida, cada caso é um caso na espiritualidade. Seu filho teve o cérebro lesado por influência de seu perispírito doente, doença provocada por ele mesmo, numa vida anterior, pela embriaguez.

O instrutor fez uma pausa e recordei parte do meu passado. Vi meu filho em outro corpo, embriagado, destruindo o corpo perfeito que Deus havia lhe dado. Vi também que eu fora uma das causas de sua perdição.

O instrutor tirou-me das lembranças e continuou a esclarecer:

– Nesta existência tem ele, na humildade e na aceitação, a purificação do seu perispírito. Quando desencarnar, ele poderá ser socorrido, trazido a uma colônia e, após um tratamento em um dos nossos hospitais, se reabilitará e se tornará sadio.

– Que bom! – exclamei.

– Porém, não é com todos os deficientes que acontece esse fato. Muitos, não tendo o corpo físico perfeito, se revoltam e não acham justo seu sofrimento. Alguns desencarnam com o perispírito tão doente quanto o corpo, e poderão reencarnar ainda deficientes, embora com deficiências mais suaves.

O assunto interessou-me muito e, sempre que possível, indago sobre ele. Conversei, converso com pessoas que quando encarnadas foram deficientes, ou que tiveram partes do seu corpo físico extirpadas, para saber o que sentiram e como voltaram ao plano espiritual. Por ser interessante, narro a vocês.

Os que sofrem com resignação têm no corpo doente a cura do espírito. Pessoas boas, independentemente de religião, pessoas que têm consciência tranqüila, do dever cumprido, têm o socorro ao desencarnar. E deficiência não é motivo para socorro, só são socorridos os deficientes que foram bons. Os que se revoltaram, foram maus, muito erraram, desencarnam e continuam deficientes, às vezes, em estado pior.

Conversei com uma senhora que quando encarnada foi cega por trinta e oito anos. Foi revoltada e cometeu muitos erros, desencarnou e ficou mais quinze anos cega, vagando pelo Umbral. Cansada de sofrer, arrependeu-se, foi socorrida e levada por benfeitores a uma incorporação num centro espírita onde, com fluidos de encarnados, pôde sanar a cegueira. Há muitos casos parecidos de pessoas que, ao desencarnar, continuam sofrendo com suas deficiências e, ao serem socorridas, são levadas a uma incorporação, em que é mais fácil se tornarem sadias pela doação de fluidos de encarnados. Outras, socorridas, são internadas nos hospitais daqui e curadas com passes e tratamento.

Para as pessoas boas, tudo é mais fácil. Como o caso de um senhor que conheci encarnado, era cego também, de nascença. Pessoa boníssima, ele trabalhava para seu sustento, benzia, curando e ajudando as pessoas, com suas orações. Contou-me que sua desencarnação foi como dormir; ao acordar, abriu os olhos e enxergou, embora visse tudo embaralhado. Gritou de felicidade. Um médico do hospital para onde fora levado lhe explicou sua situação de desencarnado, aplicou-lhe passes e ele passou a enxergar nitidamente. Foi uma grande emoção, ele adorou ter desencarnado; é hoje um grande benfeitor e disse que sua cegueira levou-o a caminhar para o progresso, o que não fez enxergando. Ele é feliz.

Conversei com um rapaz que foi encarnado paralítico. Com dificuldade, movia somente a cabeça e as mãos. Encarnou assim e desencarnou na adolescência. Falando de sua vida, contou-me que destruiu na outra existência seu corpo perfeito num suicídio consciente, pulando de um penhasco; o remorso impediu-o de reconstituir o perispírito.

Sua mãe nesta encarnação o fora também na outra. Excelente mãe em ambas as encarnações, ao saber que ele ia encarnar deficiente pediu, implorou, para que fosse sua mãe novamente: ela não confiava o filho a ninguém. Encarnou em família espírita, teve todo o apoio e carinho. Sofreu muito como encarnado, dores e tristezas, mas não se revoltou. Desencarnar para ele foi maravilhoso, dormiu para acordar aqui entre parentes e amigos. Logo que tomou conhecimento de sua desencarnação, pôde se mexer, e com algumas horas de tratamento, quando lhe foram anuladas as impressões do corpo físico, pôde andar, correr. Hoje, anos depois, ele ainda gosta de correr pelos jardins, pular e dar piruetas. E terminou contente sua narração, falando que aprendera a dar valor ao corpo físico e que é muito feliz por Deus ser Pai Amoroso, não punindo pela eternidade erros de momento.

Conversei com muitos que foram deficientes enquanto encarnados: surdos, mudos, aleijados ou débeis mentais. Os bons foram socorridos de imediato e, após tratamento, tornaram-se sadios. Os que vieram com más ações, os desprovidos de merecimentos, sofreram, vagaram como outros quaisquer que fizeram as mesmas ações más. Todos agora dão muita importância ao aprendizado que tiveram e dão muito valor à bênção do corpo físico sadio.

Também me interessei por pessoas que tiveram, como eu, partes do corpo amputadas, e algumas viveram anos assim encarnadas. A primeira impressão que tiveram ao desencarnar é que continuavam sem o membro extraído.

Alguns, conscientes de que o perispírito era normal, assim se tornaram. Outros, ao serem socorridos, necessitaram de um tratamento psicológico para que fosse reconstituído o membro que faltava.

Em casos de crianças e adolescentes, a reconstituição é mais fácil, por não estar enraizada a falta do membro, mesmo que a anormalidade tenha sido de nascença. Crianças e jovens aceitam sugestões mais facilmente, tornando-se perfeitos em curtos períodos.

Tive notícias de alguns deficientes encarnados que, ao desencarnar, tornaram-se rapidamente normais, sadios, pois tiveram consciência do porquê e para que foram deficientes, viveram no bem e para o bem. Tudo indica que saber, conhecer, torna tudo mais fácil. É isso o que a Doutrina Espírita nos dá e tantos repelem.

Conheci um homem no tratamento psicológico que, encarnado, teve o corpo perfeito. Desencarnou e o remorso fez com que seu braço direito desaparecesse. Quando encarnado, num impulso de raiva, surrara sua mãe; ela caiu, bateu a cabeça e desencarnou. O fato foi dado como acidente, ele viveu muitos anos ainda encarnado. Quando desencarnou, sofreu muito no Umbral por esse e por outros erros. Quando o remorso o visitou, não quis o braço e este desapareceu; socorrido, faz tratamento na colônia. Se encarnar assim, o feto, o corpo de carne, não terá o braço direito. Às vezes, ele se esforça e começa a reconstituir o braço mas basta lembrar desse fato para este desaparecer novamente. Meu instrutor disse-me que ele levará tempo ainda para se refazer, para depois poder reencarnar. O livre-arbítrio é respeitado; mesmo conhecendo as dificuldades, ele poderá repelir o braço e encarnar sem ele.

Como este caso, são muitos os que sabemos por aqui. Quantos que enxergavam enquanto encarnados, ficam cegos quando desencarnados, pelo remorso de ter prejudicado a outros ou por terem usado sua visão para o mal. E assim são muitos que escutavam e tornaram-se surdos, falavam e emudeceram, inteligentes passaram a débeis mentais. Quem não dá valor ao corpo perfeito pode ter no imperfeito uma profunda lição. E quem aprende torna-se são; quem negligencia e erra mais de novas lições se faz merecedor.

Com todos os que conversei há uma explicação justa para sua deficiência. E os deficientes resignados boas surpresas terão ao desencarnar. Porém, os que acham que suas deficências lhes darão crédito, decepcionam-se. Porque não é o Pai Amoroso que nos faz imperfeitos, doentes. Nós, pelos nossos erros, causamos as deficiências. É pelo sofrimento, pela aceitação, pela compreensão que nos curaremos novamente e nos tornaremos sadios.

Bendito seja o Pai pelas grandes lições que temos e por podermos, com um corpo deficiente, reparar erros que em muitas crenças nos trariam o castigo eterno. Alegria!

Aparecida

A Vingança

Seria uma pescaria feliz. Passaria algumas horas a descansar do meu trabalho. Sábado trabalhei até as doze horas, fui em casa somente para trocar de roupa e pegar meus apetrechos, já arrumados por minha esposa.

– Está tudo aí – disse-me ela, despedindo-se, tome cuidado, espero-o amanhã à noite.

Era eu um bem-sucedido médico, jovem ainda, casado, com dois filhos, dois lindos meninos. Minha situação financeira era boa, recebera de meus pais de herança alguns imóveis, morava numa bela e confortável casa. Gostava de pescar e, sempre que possível, saía em fins de semana para uma pescaria. Ia só ou com amigos, quase sempre acompanhado de Max, meu grande amigo. Max era solteiro, freqüentava minha casa, era como um tio para meus filhos, gostava muito dele. Combinara ir comigo; porém, na sexta-feira à noite, telefonara desmarcando por ter surgido um compromisso inadiável.

Fui sozinho, ia sempre ao mesmo lugar, às margens de um rio cujas terras eram de propriedade de um primo meu.

Contente, armei a barraca, organizei tudo e fui pescar.

Começara a escurecer quando voltei à barraca. Acendi o lampião, arrumei meu lanche, já ia me preparar para dormir quando escutei um barulho, cheguei a perguntar:

– Quem está aí?

Senti uma forte pancada na cabeça que me tonteou, uma mão com luvas colocou uma toalha com éter no meu rosto. Tentei conter a respiração, não consegui; tonto, senti a mão apertando forte meu rosto com a toalha; não enxerguei mais nada, fui arrastado, percebi que era em direção ao rio.

"Meu Deus, pensei, será que me jogarão na água?"

Não sabia nadar, isso era motivo de gozação para amigos; pescador que não sabia nadar.

O éter adormeceu-me...

Acordei sufocado, estava na água, tentei me debater, não consegui. Tonto, perturbado, com dores; a água apavorava-me.

Não consegui calcular o tempo. Sentia tanto sufoco que pensava estar morrendo; aí, parecia adormecer, ficava numa estranha modorra para acordar em desespero. Apesar de estar com os olhos abertos, enxergava só a água, um tanto barrenta.

Desesperado, tentei gritar pedindo ajuda. Não conseguia, meus membros não me obedeciam e a correnteza parecia levar-me devagarinho.

"Que sofrimento! Que desespero!"

Não conseguia coordenar meus pensamentos, sofri tanto que pensei não ter fim aquela agonia. Até que senti que me puxaram e me arrastaram para as margens, estava debruçado, senti meu rosto na terra, viraram-me. A luz solar cegou-me por momentos. Depois, vi dois vultos masculinos examinado-me.

– Deve ser o doutor que procuram, morreu mesmo!

– Já começa a se desmanchar. Fico aqui e você vá rápido avisar que o encontramos.

"Meu Deus! Ajuda-me!"

Pela primeira vez lembrei-me de Deus. Acreditava em Deus sem lhe dar muita importância ou questionar sua existência. Tinha uma religião ou dizia ter, indo aos seus cultos raramente e por razões sociais.

Sofrendo como nunca pensei ser possível, lembrei-me de Deus. Onde estava pude ver partes do meu corpo: estava com minhas vestes rasgadas e o corpo se decompunha. Meu corpo estava morto, não eu. Sentia-me vivo, com dores e sufocado.

"Como pode? Que fenômeno aconteceu comigo? Meu corpo morreu e me sinto vivo! Só Deus pode me ajudar! Somos realmente eternos e devo estar passando pelo inferno, não em fogo, mas em água. Deus, socorra-me!" – supliquei, angustiado.

Nesse instante, escutei:

– Rogério, dê-me sua mão, ajudo você.

A voz não era estranha, vi dois vultos, o do homem que ficara e o de um outro diferente, de uma mulher que falou comigo; senti que era minha avó, que há tempo desencarnara.

"Vovó, ajuda-me, por favor, sofro tanto", pensei.

Ela não me respondeu, passou as mãos sobre mim, pelo meu corpo e com um arrancão levantou-me e colocou-me sentado numa pedra, continuando a passar-me suas mãos. Vomitei muito, senti um certo alívio, a água já não me sufocava tanto.

– Respire devagar, não se afobe mais – minha avó falou. – Agora, beba isto, devagar.

Tomei um líquido quente que me aqueceu e pude respirar um pouco aliviado.

Olhei para ela, continuava a ver só seu vulto. Olhei para o chão, aos meus pés estava meu corpo, todo sujo, inchado, pele lustrosa, olhos arregalados, horrível. Exclamei sentido, assustado com minha voz. Consegui falar:

– Meu Deus! Meu Deus!

Senti sono, abraçado por minha avó que me socorria, adormeci.

Acordei um tanto sufocado, confuso; ergui a cabeça, o local estava claro e, aliviado, pude ver: estava numa enfermaria. Por um instante, iludi-me:

– Estou vivo! – exclamei.

– Sente-se melhor, meu neto?

Suspirei triste ao ver minha avó. Ela pegou minha mão, sorriu meigamente.

– Morri! – exclamei.

– Não pense na tragédia. Só seu corpo morreu, você está vivo em espírito. A vida continua quando deixamos apodrecer o corpo de carne.

Fechei os olhos, adormeci novamente. Aos poucos fui melhorando, livre das dores, da sufocação, ficava no leito quieto, apático. Vovó tentava conversar comigo, respondia com monossílabos. Nem grato era pelo socorro que tivera.

Pensar no que sofri trazia-me impressão de sofrimento, isso me fazia mal, mas pensava. Reconstituí os fatos.

"Fui assassinado! Por quem? Certamente para roubar-me, mas tinha no momento tão pouco."

Um dia, ouvi dois companheiros conversando, sentados no leito ao lado.

– Estou vindo de casa, amigo, não vale a pena regressar ao lar sem o devido preparo. No meu ex-lar tudo mudou, foi muito triste, sofri e pedi para voltar para cá.

– Pôde voltar ao lar? – indaguei assustando-os, pois não conversava com ninguém.

– Sim, é só querer – respondeu-me um deles.

– Mas não deve fazê-lo sem ordem – falou rapidamente o outro.

– Já disse, é só querer, mas não é legal sair daqui para ir – respondeu o que falou primeiro.

Sorri levemente e voltei a ficar quieto. Seria interessante voltar, nunca pensei que um morto pudesse voltar entre os vivos. Mas já que continuava vivo num corpo perispiritual, como dizia minha avó, quis voltar. Melhorei da apatia e, com ajuda de um enfermeiro, levantei e andei; depois passei a levantar sozinho e a passear pelo jardim. Estava num posto de socorro perto da crosta, vovó falava estusiasmada, para ela tudo ali era lindo, maravilhoso; eu não achava nada de extraordinário. Pensava só no meu possível regresso e decidi ir embora. Fui falar com o diretor, que me atendeu gentilmente. Explicou-me da incoveniência do meu pedido, argumentou com exemplos e bondade. Fui áspero, não gostava dali e não queria ficar.

– Então, dr. Rogério, quer mesmo ir embora? Sinto pelo senhor. Pedirei que abram o portão para o senhor.

– Não irá mandar alguém me acompanhar?

– Aqui não mando, somos todos companheiros de trabalho. Pediu-me para sair, o portão será aberto, não podemos acompanhá-lo. Não irá se despedir de sua avó?

– Vovó não vai concordar, não me despedirei dela. Agradeço-lhe.

Agradeci somente para finalizar o diálogo, caminhei até o portão, abriram-no, atravessei sem olhar para trás, sem me despedir ou agradecer. Para mim, naquele momento, não recebera nada, eu que perdera muito, e todos pareciam culpados. Eles terem cuidado de mim parecia-me que era somente uma de suas obrigações.

Um nevoeiro forte cobria tudo e pouco vi da estranha paisagem. Ouvia alguns gritos e gemidos, senti medo, fui andando, descansando pouco, por alguns minutos; queria sair logo dali. Parecia que estava dentro de um filme de horror. (Estava no Umbral.) Após muito andar, via a cidade em que morava.

Tudo me pareceu estranho, compreendi com tristeza a enorme diferença do meu corpo perispiritual e os de carne. Ninguém encarnado me via, e fugi dos grupos desencarnados que encontrei. Andando, tentando me esconder, rumei para minha casa.

Meu lar estava localizado num bairro chique, tinha muros altos. Cheguei e não consegui entrar. Tentei escalar o muro mas os cães ladraram furiosos e não tive outra alternativa senão esperar que o portão fosse aberto. Anoiteceu e fiquei esperando; já era tarde da noite quando vi o carro de Max chegando. Ele desceu e abriu o portão.

Fiquei surpreso olhando-o; quando ele ia fechar o portão, corri e passei. Os cães uivaram; com medo deles, subi na traseira do carro e entrei em minha casa.

Minha esposa recebeu Max sorrindo e os dois de mãos dadas entraram na casa; corri e entrei também.

Vi os dois se abraçarem.

"Estão se dando muito bem, pensei. Faz tempo que está viúva, devo concordar que Max é um substituto à minha altura. Ela é jovem, é justo que se case novamente e é melhor vê-la casada com ele, que é bom e honesto, do que com um desconhecido."

– Querida, é ruim vê-la às escondidas, – disse ele.

– Deixemos passar mais tempo e casaremos.

Resolvi andar pelo meu antigo lar. Vi espantado, uma das empregadas andando pela casa. Seu corpo parecia como o meu, só que estava com um fio prateado na cintura que a ligava a algum lugar.

– Ei, você aí! Que faz aqui? – indaguei.

Doutor Rogério, que faz o senhor aqui? Não sabe que morreu?

– Sei que morri, mas continuo vivo. Você sabe como foi que morri?

– Claro, o senhor caiu dentro da água. Foi um terrível acidente.

– Tem certeza?

– Comentamos muito este fato nesta casa. No domingo, como o senhor não voltou, a patroa, assustada, chamou por amigos e foram aonde o senhor acampara. Lá estava tudo em ordem, mas nem sinal do senhor. No outro dia começaram a busca, acharam o corpo dias depois. Deduziram que o senhor caiu na água e, como não sabia nadar, morreu afogado.

A empregada continuou seu passeio e me pus a cismar. Mataram meu corpo e não foi para roubar. Por quê? Quem?

– Meu neto...

Vi o vulto de minha avó sem conseguir vê-la com nitidez.

– Por que não vejo a senhora?

– Você não consegue ver-me por vibrarmos diferente. Por que voltou, meu neto?

– Não queria ficar lá, era muito chato. Não falemos disso, estou querendo saber quem me assassinou. A senhora sabe?

– Esquece isso, esse assunto só lhe trará sofrimentos. Volte comigo.

– Conversava com a empregada, está estranha. Está morta? Ou, como a senhora fala, desencarnada?

– Não, ela é encarnada, está semiliberta, seu corpo dorme, o fio prateado liga-a ao corpo que repousa no leito.

– Quando ela acordar, lembrará que me viu?

– Talvez. Se recordar será como sonho. Volta comigo?

– Não, e não me enche, por favor!

Não vi mais o vulto de minha avó, isso me deu alívio. Decidi ficar na minha casa e investigar quem me matara.

Ao passar pela sala e cozinha, olhei o calendário e levei um susto. O sofrimento faz o tempo parecer lento, não havia perguntado a ninguém, mas, para mim, já haviam se passado anos que desencarnara e descobri que tudo acontecera exatamente há quatro meses.

– Quatro meses! Só isso?! Como Max e minha esposa estão juntos? Acho que é por aí que devo começar minha investigação."

Não foi difícil descobrir. Na noite seguinte, escutei minha esposa conversando com Max. Descobri que eram amantes há tempo, traíam-me há anos. Ela não queria se separar de mim, para não ficar sem o meu dinheiro, pois éramos casados com separação de bens. Os dois, querendo ficar juntos, planejaram matar-me. Foi Max, a pessoa de quem muito gostava e em quem confiava, que me assassinou. Conhecendo meus hábitos, ele foi escondido até meu acampamento e facilmente me atingiu na cabeça e me adormeceu com o éter, jogando-me na água. Certificando-se que afundara, apagou os sinais que ficaram no chão onde me arrastara, levou meus apetrechos de pesca até o barranco e voltou. Tudo fácil.

Revoltei-me, senti um ódio forte e decidi vingar-me.

Meus filhos ficavam muito com meus sogros e agora parecia que moravam lá, vinham em casa somente para visitar a mãe.

Ao sentir revolta e ódio, comecei a ter dores e falta de ar. No posto de socorro, amigos avisaram-me que isso poderia acontecer, pois não estava totalmente recuperado, e, ficando sem permissão entre encarnados e não vibrando bem, poderia sentir o reflexo da morte do meu corpo. Entretanto, percebi que ao ficar perto de Max melhorava um pouco, mas, em compensação, ele sentia mal-estar e falta de ar. Alegrei-me e passei a ficar encostado nele. Max, julgando-se doente, consultou médicos e tomou muitos remédios.

Casaram-se e fiquei a perturbá-los, a odiá-los com rancor. Aos poucos fui dominando Max e planejei matá-lo ou levá-lo a se matar. Queria que morresse afogado, como fizera comigo.

Minha avó muitas vezes visitava-me tentando ajudar-me, pedindo que perdoasse e fosse com ela. Recusava sempre.

O casal não era feliz. Brigavam, ele doente, ela nervosa. Comecei a incutir nele a idéia de suicídio. Queria vê-lo morto e afogado! Tanto fiz que ele decidiu pescar no mesmo lugar em que desencarnei. Minha ex-esposa rogou para que não fosse. Max acabou não resistindo, cedeu à minha vontade. Fiz com que levasse muita bebida e lá fiz com que se embriagasse e pus a gritar minha revolta em sua mente:

"Assassino! Recorda o que fez comigo? Éramos amigos, gostava de você. Traiu-me! Não merece viver!"

– Rogério! – minha avó gritou comigo. – Você o chama de assassino com nojo, e o que você se tornará ao matá-lo? Assassino também!

Nunca escutei minha avó falar com tanta autoridade, voltei-me para ela.

– Não sou assassino! Fui médico e salvei vidas, prometi não matar. Vovó, não posso ser assassino! Não posso matá-los, não posso pegar uma arma, não posso atingi-los. Não sou um assassino! Não pode me chamar assim, não sou.

– Rogério, o erro está na intenção. Você planeja, quer vê-lo morto, está intuindo-o para que se mate. Terá responsabilidade nessa morte. Ele morrendo, que fará você? Meu neto, quando nos fazem o mal, recebemos a maldade, mas ela não nos torna maus. Quando fazemos o mal, a dor é pior, porque nos tornamos maus.

– Eles me traíram, planejaram friamente e mataram-me. Como deixá-los juntos, ricos e felizes?

– Desencarnou, veio para o mundo espiritual e que trouxe você de sua riqueza? Não se iluda pensando que os bens materiais eram realmente seus. Tudo o que é matéria é passageiro. Mataram seu corpo, não seu espírito; está vivo, triste e infeliz, porque não perdoou. Vinga-se e sofre! Está a perturbá-los e perturba-se, castiga-os e não tem paz. Deixe-os, seus atos serão cobrados, é a lei. Não é certo você tornar-se cobrador. E sua sede de vingança acabará com a morte do corpo de Max? Ou irá querer também a morte de sua ex-esposa? Deixará seus filhos órfãos também de mãe? Sabe, Rogério, que Max terá somente o corpo morto, viverá em espírito. E como ficarão vocês dois? Acusando-se mutuamente? Perdoe-os!

– Como posso deixá-los felizes?

– E serão felizes? Se o forem, até quando serão? Todos nós acertaremos as contas dos nossos atos. Pense bem, Rogério, fazendo com que Max se suicide, você se sentirá aliviado? Continuará a ter dores e a falta de ar e não será mais a vítima, mas assassino também. Assassino!

– Não me fale assim! Não quero ser assassino.

Comecei a chorar; pela primeira vez, desde que desencarnara, chorei.

Vovó abraçou-me e orou em voz alta. Meu ex-amigo dormia embriagado.

Entendi que não valia a pena tornar-me um assassino – pois era no que me tornaria pela intenção.

– Deixo-os. Volto com a senhora.

Vovó levou-me novamente ao posto de socorro. Entrei humilde, esperei receber censuras, mas recebi compreensão e amor. Recebi o tratamento e passei a ser grato e educado.

Vovó trazia notícias de meus filhos, foram definitivamente morar com os avós, meu sogro obteve na Justiça a tutela deles e passou a administrar os bens que lhes coube de herança.

Recuperado, passei a ajudar com gosto. O posto de socorro era agora para mim um abrigo de bondade, simplicidade e beleza, via tudo de modo diferente, aprendi a ser grato, humilde, e a amar o local que me abrigara e a todos os que me ajudaram.

O tempo passou, fui trabalhar num hospital de encarnados, depois num centro espírita.

Meus filhos cresceram, minha ex-esposa e marido não tiveram a felicidade que sonharam. Em pouco tempo gastaram todo o dinheiro, brigavam muito e o remorso aos poucos foi lhes tirando a tranqüilidade.

Narrar minha partida não me incomoda, sofri e aprendi. Só tive paz quando perdoei; tranqüilidade, ao estudar e consolidar as lições do livro *O Evangelho Segundo o Espiritismo*; harmonia, quando aceitei, quando me esforcei para ser humilde e cultivei a gratidão. Que Jesus nos abençoe!

Rogério

Doloroso Depoimento

Estava desencantada com a vida. Não tinha nenhum problema grave, porém, para mim, viver parecia enfadonho e aborrecido. Era muito mimada por meus pais, como filha única. Tudo faziam para que eu fosse feliz, mas isso não era suficiente. Planejei com antecedência meu suícidio.

Era feia, pelo menos achava-me sem atrativo nenhum, nasci com uma pequena deficiência motora, era magra e morena. Sempre fui muito amiga de meu pai, que me entendia bem, e foi ele quem me ajudou com meus complexos. Na adolescência, apaixonei-me por um rapaz, tudo fazia para conquistá-lo; ele, porém, rejeitou-me; sofri muito e revoltei-me pela primeira vez. Resolvi ser importante; já que não era bonita nem rica, quis ser alguém, estudando. Sendo muito inteligente, cursei Medicina facilmente.

Meus pais não pouparam sacrifícios para formar-me. Formada, passei a clinicar. Porém, não me fiz importante com o diploma, era antipática. Hoje compreendo que tentei me impor, ser aceita pela sociedade pelo meu título de doutora. Sentia-me realmente sozinha.

Desde a infância, via sempre ao meu lado vultos que não sabia definir quem eram. Quando formada, sentia-me perseguida. Sonhava muito, e a ciência não conseguia me convencer com suas explicações em relação a eles. Alguns desses sonhos repetiam-se sempre. Num deles consultava pessoas, porém repelindo os pobres, que se voltavam contra mim, amaldiçoando-me e perseguindo-me. Aí corria e acordava assustada e aflita. Em outro sonho que se repetia, ia a um lugar estranho, não conseguia saber onde era e escutava uma voz; às vezes, via um vulto sem distinguir quem fosse. A voz dizia-me mais ou menos assim:

"Faça o bem, seja boa e se livrará dos que a perseguem. Você tem em sua profissão a arma para defender-se, se usá-la para o bem, fazendo caridade; ou a brecha para sua perdição."

Procurava na Psicologia o porquê desses sonhos que, para mim, eram pesadelos. A conclusão que encontrei, e que parecia a mais lógica, é que poderia ser algo que escutara ou vira na infância.

Queria casar, ter filhos, porém, não tive sorte nesse sentido, com ninguém parecia dar certo. Um rapaz, que sabia não ser honesto, aproximou-se de mim com interesse. Nesse tempo, ganhava razoavelmente bem, dei-lhe de presente, por insistência dele, um carro, e ele sumiu. Fiquei muito aborrecida, não o amava mas doeu-me o orgulho.

Sentindo-me cada vez mais perseguida e triste, meu pai levou-me para tomar passe num centro espírita. Lá tive a impressão de que estava presente o vulto que me aconselhava. Gostei na hora, depois achei tudo bobagem e não quis voltar mais. Não segui o conselho da voz; hoje sei que era um antigo instrutor que prometera ajudar-me quando encarnada.

Cada vez mais fui achando a vida chata e que a morte acabaria com tudo. Pensei friamente e decidi matar-me de uma forma que seria considerada derrame, pareceria natural, isso para evitar maiores sofrimentos aos meus pais.

Marquei a data fatal. À noite, ao deitar-me, apliquei em mim mesma uma dose forte de insulina, desfiz-me do material que usei e me deitei. Foi horrível, comecei a sentir os sintomas esperados, porém não julguei que fossem tão dolorosos e aflitivos. Uma estranha agonia tomou conta de mim, parecia que ia arrebentar, doía-me o corpo todo, senti um tremendo mal-estar, a cabeça parecia que explodiria a qualquer momento. Vi nitidamente meus perseguidores, rodearam-me, riam vitoriosos, dizendo-me horrores:

"Você agora é nossa, vem, maldita! Verá que nada acaba com a morte do corpo e que seu inferno se inicia. Agora, como suicida, nem seu protetor poderá ajudá-la. É nossa! Anos esperamos sua vinda. E você nos facilitou, matando seu corpo!"

Gargalhavam. Eram horríveis, vingativos. Tive medo, pavor, agarrei-me ao meu corpo, desejei ardentemente não morrer. Se eles falavam de um protetor, roguei por ele com toda a força que me restava. Tentei gritar, chamar por socorro, não consegui. Não sabia se meu corpo morrera ou não, nem calculava o tempo que passara nessa agonia. Meus perseguidores impacientavam-se e, entre insultos, chamavam-me.

De repente, vi meus pais, aflitos, a socorrer-me, levaram-me ao hospital, companheiros examinaram-me e medicamentos foram aplicados, entendi que meu corpo não morrera, a dose não fora suficiente para matar-me.

Lesei meu cérebro de modo irreversível, tornei-me um vegetal, não me movia, não falava, escutava sem entender ao certo, enxergava somente, mas às vezes confundia as imagens, via sem entender o que eram.

Meses fiquei assim. Do hospital, fui conduzida para casa. Aí compreendi o quanto fora egoísta e como fizera meus pais sofrerem. Eles amavam-me muito e foi com grande dedicação e carinho que cuidaram de mim. Algo acontecia comigo sem que entendesse, meu corpo estava inerte, o cérebro lesado, porém conseguia entender muitos dos acontecimentos que me rodeavam. Hoje sei que entendia pelo espírito. Continuei a ver meus perseguidores, eles não se apiedaram de meu sofrimento, riam e debochavam do meu estado. Como também me falavam de acontecimentos do passado, de outra encarnação em que os havia prejudicado e exigiam cobrança. Eram doze. Diziam que nem todos os que prejudicara estavam ali, muitos haviam me perdoado e seguiram seus caminhos. Fizeram-me recordar: fora um médico inteligente de muitos conhecimentos que cobrava a preço de ouro meus serviços, deixei morrer sem querer atender a muitos pobres e alguns deles e de seus parentes ali estavam. Usando a profissão, matei quatro pessoas, e de dois recebi dinheiro para fazê-lo. Um homem que fora amante de uma senhora importante pagou-me para livrar-se dela. Outra, uma mulher, matei-a a pedido do marido, para que ficasse viúvo. E minhas duas amantes foram mortas para eu ficar livre delas. Não havia dado valor a afetos e deles abusara. Sofri muito quando desencarnei. Socorrido, reencarnei logo após um período de estudos, bem longe, em outro país, num corpo de mulher e sem a beleza que tivera anteriormente.

Mas quem não perdoa, não descansa, sofre e anseia fazer sofrer; acabaram por achar-me.

Entendo agora os conselhos que bondosamente recebia em sonhos. Se fizesse pela Medicina nesta vida a reparação do mal que cometera, eles não me poderiam atingir e poderia ajudá-los fazendo com que me perdoassem. Mas nada fiz, ou pouco fiz. Eles, com rancor, tudo fizeram para enfadar-me, até sugestões deram a meu namorado para que sumisse. Aplaudiram minhas idéias de suicídio, incentivando-me. Porém não me forçaram e não o poderiam. Suicidar-me, ou não, cabia a mim, ao meu livre-arbítrio: fui responsável por meu ato. E sofri muito por isso.

Nesse período de inércia fui tratada com carinho, banhavam-me, alimentavam-me e comecei a fazer fisioterapia para tentar forçar meus movimentos. Não mais vi o vulto nem ouvi mais os conselhos daqueles que tentaram alertar-me, o "protetor", segundo os perseguidores.

Meu pai teve a feliz idéia de pedir ajuda a grupos espíritas, que caridosamente foram até em casa. Ao tomar passes, fazia-se um círculo amarelo em minha volta e as entidades que me perseguiam não conseguiam se aproximar, nem os ouvia. Foi um alívio. Esse círculo ficava por horas ou dias, bastava que pensasse algo de ruim, rancor ou revolta, para que ele sumisse. Aos poucos foram diminuindo os que me perseguiam. Segundo um deles, um que eu assasinara, os bons espíritos estavam convencendo-o a perdoar em troca de socorro, e os desertores, como dizia, estavam indo embora.

Duas senhoras bondosas e agradáveis, às quais sou imensamente grata, passaram a visitar-me com freqüência, e não só me aplicavam passes como também falavam para que pudesse ouvir. Aconselhavam-me a orar e a pedir perdão a Deus. Comecei a orar como diziam, não as preces decoradas, mas as que saíam do coração. Escutava os textos que liam de livros espíritas, entendia-os pelo espírito, às vezes bem, outras de forma confusa. Arrependi-me sinceramente de meu ato tresloucado, pedi inúmeras vezes perdão a Deus e aos meus perseguidores, que foram diminuindo até que os três últimos, mais rancorosos, perdoaram-me e foram embora. Senti-me definhar, tinha muitas dores, uma simples dor de dente ou de barriga incomodava-me muito e eu nem conseguia indicar onde doía. Apesar de muito sofrimento, sentia-me tranqüila: se os espíritos que me perseguiam perdoaram-me, Deus também, certamente. Cada vez mais orava e meditava.

Um dia, após profunda meditação, ouvi a voz amorosa do protetor. Pedi-lhe perdão, meu espírito emocionado vibrou de contentamento, quando escutei:

"Perdôo, todos a perdoaram, você também deve perdoar-se. Logo seu corpo morrerá, esteja em paz."

As dores pioraram, senti enorme fraqueza, levaram-me para o hospital onde desencarnei. Nada vi do meu desligamento, senti-me dormir.

Acordei sentido-me melhor, pelo menos consegui falar e fui informada pelas bondosas pessoas que me atendiam que desencarnara e estava numa enfermaria de recuperação, num hospital de socorro a suicidas.

O tratamento foi longo, bastava pensar no meu ato para me sentir paralisada. Pacienciosos, os abnegados trabalhadores ajudaram-me.

O remorso dói terrivelmente. Mas a vida continua, entristecer-se com os nossos erros não os anula; assim, resolvi reagir. Melhorei, passei a estudar e a trabalhar em pequenas tarefas, ajudando os mais necessitados. Sinto-me melhor, fortaleço-me, não reencarnarei logo, quero preparar-me porque não será fácil minha vida encarnada. Necessito aprender a dar valor à vida física alheia e à minha própria.

No hospital onde fui socorrida vi e tenho visto muito sofrimento, e quanto sofre o suicida. Na espiritualidade não há cópias. Na morte de suicidas, as dores não são iguais. Interessei-me pelos relatos dos companheiros e indaguei sobre o assunto.

Graças a Deus, não desencarnei no momento em que lesei meu corpo, e pude ter a ajuda de pessoas boas, que me orientaram. Arrependi-me, roguei perdão a Deus, desencarnei e fui socorrida por espíritos bondosos que me ajudaram juntamente com os espíritas encarnados.

Mas nem sempre isso acontece. O remorso não anula o fato. Ter remorso é reconhecer com sinceridade o erro e, se pudesse voltar atrás, não o teria cometido. Pedir perdão é pedir um recomeço, pedir ajuda é querer socorro. Porém, as conseqüências do ato estão em nós.

Na espiritualidade não é taxado nem tempo nem sofrimento para determinado erro.

A maioria dos suicidas conscientes não se arrepende de imediato, tornando seu sofrimento maior. Suicidam-se por estarem insatisfeitos, por se sentirem infelizes. Passam para a vida espiritual e em nada se modificam, continuam infelizes, seus problemas não foram resolvidos, mas agravados. Pensam que com seu ato tresloucado forçarão os outros a lhes fazer a vontade, e isso não ocorre; então se desesperam. Muitos se perturbam tanto que enlouquecem de dor e desespero. Em outros o ato infeliz fica gravado na mente; assim, vêem e sentem seu fim, sem descanso. O fluido vital, cortado bruscamente, dá-lhes a impressão de estar no corpo de carne, sentem-se sós, abandonados e com dores terríveis. Alguns ficam no corpo, sentindo os vermes comê-los num desespero alucinante, às vezes por anos, até que pouco ou nada reste do corpo carnal.

Como sofrem! Muitos vagam sem consolo, sofrendo dores atrozes nos vales, nas furnas do baixo Umbral. Os horrores são tantos que o livro *Memórias de um suicida*, psicografado por Yvone A. Pereira, dá aos encarnados que o lêem uma pequena visão, por não ter podido o autor narrar tudo o que viu e sofreu.

Eu, sendo perseguida por entidades vingativas, fui culpada?

Sim, sinto-me culpada, arrependida e perdoada. Meu livre-arbítrio foi respeitado, não houve obsessão, assediaram-me com sugestões, tive, como muitos têm, alguém bom ajudando. Atendemos às sugetões de quem queremos, ou dos bons ou dos ignorantes. Mas se a obsessão for constatada e o obsediado se suicidar?

Mesmo obsediado, só se suicidará quem se afinar com a idéia. Mas, nesses casos, leva-se em conta a perturbação que tinha no momento, como em casos de doentes mentais. Não se comete injustiça na espiritualidade.

Por que alguns suicidas sofrem muito tempo, outros não?

Depende muito de a pessoa se arrepender com sinceridade e chamar por ajuda. Muitos dos que sofrem por muito tempo não o fazem somente pelo crime do suicídio, mas também por outros erros, por outras más ações.

E os que enlouquecem, como irão se arrepender?

Estes são observados com carinho pelos socorristas que, quando julgam ser o momento certo, os levam para um socorro.

Muitos suicidas têm consciência do seu estado; socorridos, recuperam o raciocínio, podem estudar, e outros não, por quê?

Conseguir recuperar o raciocínio depende de muitos fatores, como do tempo que ficou em sofrimento vagando, do remorso, se é destrutivo ou não, porque muitos não querem se perdoar nem pedir perdão.

Realmente, muitos socorridos em hospitais no plano espiritual, tratados com bondade e carinho, não conseguem se recuperar, só a bênção da reencarnação é o remédio necessário.

Por que o modo de sofrer não é igual para todos os suicidas?

Nem poderia ser igual. Como já disse, há os suicidas conscientes e que se matam num momento de desespero. Alguns se arrependem logo, outros não. Muitos vêm acompanhados de ações más, outros não. E o modo de sofrer não pode ser igual. Uns ficam no corpo por não ter havido desligamento natural, outros são atraídos para furnas, vales no Umbral, ou são levados porque seus fluidos são tão fortes e angustiantes que não é bom que vaguem entre encarnados, embora alguns fiquem, assim mesmo. De qualquer modo, o sofrimento é terrível, não se despreza um veículo tão precioso para nosso desenvolvimento como o corpo físico, matando-o por livre vontade, sem sofrer as conseqüências; a reação vem em seguida. Muitos, ao se conscientizarem do erro que cometeram, não se perdoam, acham que o inferno (sofrimento) lhes será eterno. Esses são os mais difíceis de serem socorridos, porque não querem auxílio. As cenas de seu ato ficam-lhes na mente, como as dores da desencarnação: alguns sentem despencar das alturas, o tiro ou o veneno que corrói e, como aconteceu comigo, a paralisia, o mal-estar. Vi, sem descanso, por muito tempo, a cena terrível com todos os detalhes. Necessitei de muito tratamento para melhorar. Entendi que foi o remorso que me fazia ver e sentir tudo.

Como na espiritualidade não se cobra sofrimento por erro, cada um sofre de um modo, cada doente toma o remédio de que necessita.

Um suicida, ao reencarnar, traz as marcas do seu ato?

Depende muito, os que não conseguem se recuperar, sim. Os outros, em grau menor. Acredito que, ao destruir o corpo carnal por livre-arbítrio, ferimos profundamente o perispírito que, mesmo socorrido, poderá marcar o novo corpo em encarnação futura. Porém, cada caso é estudado com atenção e carinho pelos orientadores que educam os suicidas.

É verdade que um suicida trará, nas próximas encarnações, a vontade de se suicidar?

Eu penso que terei um medo pavoroso de cometer novamente o mesmo erro. Aqui temos estudado muito este ponto para que não pensemos nisso e para que nos fortaleçamos no aprendizado para não cometer o mesmo erro. Mas tenho conhecimento de alguns internos do hospital que já não é a primeira vez que matam seu corpo carnal.

Normalmente quem se suicida é egoísta. Num egoísmo grande, mata seu corpo sem pensar se isso causará ou não sofrimento aos entes queridos. Normalmente, quer que a vida encarnada lhe seja favorável, quer que as pessoas que o cercam lhes façam a vontade. Tal não ocorrendo, não quer viver. É preciso lutar e vencer o egoísmo, aprender a aceitar as lições de dores da vida encarnada e os sentimentos, o modo de ser, dos que nos cercam. O suicida ao reencarnar tem que vencer todas as tendências que o levarão a ter idéias de suicídio, porque novamente encarnado enfrentará problemas e terá de superá-los.

Meu objetivo nestas perguntas e respostas foi o de orientar, são indagações que fiz a instrutores e o que sempre escuto entre os companheiros. Como também contar minha triste história, de uma desertora que, pela bondade de muitos, se recuperou; afirmo isso para não repetir o mesmo erro e, se possível, evitar que outras pessoas errem. Porque, a meu ver, não existe dor maior que a sentida pelo suicida. Nenhum motivo justifica tal ato, cujo sofrimento parece eterno, infindável, e só com a bênção da reencarnação podemos esquecer nosso erro, ter paz e força para recomeçar.

Agradeço a todos os que me ajudaram, ao Pai Misericordioso pela infinita bondade e amor dando sempre aos seus filhos a oportunidade do recomeço.

Que Deus seja louvado!

Também louvo as pessoas encarnadas e desencarnadas que não desprezam os suicidas, mas os orientam; não os criticam nem os condenam – ajudam.

Somos donos dos nossos atos e estes acompanham-nos. Felizes os que voltam ao plano espiritual acompanhados de boas ações e no tempo previsto.

Simone

Coragem ou Covardia?

Estava na adolescência, era completamente insegura. Filha mais velha, tinha uma irmã e um irmão, meus pais brigavam muito, tornando nossa vida um inferno. Meu pai era grosseiro, mal-educado, bebia muito e estava sempre envolvido com mulheres. Minha mãe, na minha opinião, era uma pessoa de caráter fraco. Boba, agüentava tudo, só sabia xingar, sem ter coragem de tomar uma atitude.

O trabalho de meu pai obrigava-nos a mudar sempre de cidade. Estávamos morando há algum tempo na cidade onde residia a família de minha mãe. Gostava da cidade e do local onde morávamos. Fiz muitas amizades e comecei a namorar um rapaz legal, sonhava em casar e livrar-me das brigas em casa. Estava tão bem que até deixei de me preocupar com meus pais.

Mas a vizinhança não estava acostumada aos escândalos que meus pais davam a qualquer hora do dia ou da noite. Pediram para que mudássemos dali e mudamos para outra casa, que detestei.

Meu pai pediu transferência, chorei desesperadamente, não queria mudar de cidade. Pensei em ficar com meus tios, pedi, implorei que me deixassem morar com eles. Minha tia era irmã de minha mãe e minha avó já morava com eles. Concordaram, eles eram bons, mas moravam numa casa pequena e a família era grande, senti que incomodava. Fiquei lá pouco tempo, pois, com educação, falavam-me sempre que deveria morar com meus pais.

Queria que mamãe se separasse de meu pai e que ficássemos morando naquela cidade de que tanto gostava. Ela não queria nem falar sobre esse assunto, não se separaria nunca do meu pai e iria junto para onde quer que ele fosse.

Gostava do meu namorado, ele era bem mais velho que eu, responsável e educado. Talvez por isso tenha terminado o namoro, achando que eu era muito problemática para ele. Tentei reatar muitas vezes, mas ele não quis.

Com o dinheiro que pegara escondido de minha avó, comprei veneno de matar ratos e o tomei.

Era tarde, agi normalmente, fingi jantar e fui ver televisão na vizinha.

Comecei a ter enjôo, senti doer meu estômago. Respondia que não tinha nada, quando me perguntavam se me sentia mal.

De repente, comecei a babar e desmaiei. Levaram-me rapidamente para o hospital. Quando voltei do desmaio,

– Então sou eu a assombração!

Nisso, sem poder se conter, Evaristo levantou-se e aproximou-se de nós, da senhora médium, e de mim:

– É o Tonico?

– Sim, sou – respondi rindo.

– Há tempo morreu, homem, deve ir embora, assombra a todos nós.

– Não faço por mal, nem sei como isto acontece – respondi, parando de rir, já um tanto encabulado.

Um senhor pediu educadamente a Evaristo que se sentasse e se calasse; após se dirigiu novamente a mim:

– O corpo morre, nós somos espíritos eternos; seu corpo morreu, você não percebeu e julgou-se ainda no corpo. Não quer ir para um local onde aprenderá tudo isto?

– Parece tudo muito difícil para entender, quero ir, não posso mais ser assombração e passar medo nos amigos. Diga-me, onde irei é local só de almas do outro mundo? Tenho medo...

– Irmão, sempre estamos vivos, por que ter medo de pessoas como você? Irá para o plano espiritual, lá é muito bonito, terá novos amigos, aprenderá.

– Evaristo, – falei –, desculpe-me, vou embora e não assombro mais.

– Vou queimar sua casa – ele respondeu.

– Para que fazer uma maldade desta, homem? – falei indignado.

O homem que falava comigo fez um sinal para que Evaristo se aquietasse e esclareceu-nos:

os enjôos e as dores abdominais eram mais fortes. Perguntaram-me o que tomara, respondi que nada, tive medo que se zangassem comigo e que fosse pouco o veneno tomado só para o susto que queria dar em todos.

Minha visão escureceu, senti dores terríveis, vomitei, tudo fizeram para ajudar-me, não consegui falar mais.

Escutei:

– É inutil, pobre criança, é tão linda, que terá acontecido para que tomasse essa atitude?!

– Morreu, doutor?

– Sim, morreu. Tomou muito veneno, o vidro todo talvez. E demoraram a socorrê-la.

– Negou até o fim, disse que não tomou nada.

Mas, não me sentia morta. Fiquei a ver e ouvir tudo, mas de modo confuso. Limparam-me, colocaram-me esparadrapo na boca, trocaram a minha roupa. Vi que me colocaram num caixão, o cheiro das flores e velas incomodava-me. Vi e ouvi pessoas, comentários, o choro das amigas e de meu ex-namorado, o desespero de minha mãe, irmãos, tios e avó. Sem conseguir entender o que fato ocorria, fiquei desesperada. Fecharam o caixão e fez-se um terrível silêncio, a completa escuridão. Enterraram-me.

Nem mesmo sei descrever o horror que senti. Sem ver nada, o frio terrível, não conseguia me mexer, falar, tinha dores fortíssimas no abdômen e por todo o corpo, comecei a sentir bichos andarem sobre mim e a comer-me, suas picadas doíam-me, arrancando pedaços de carne apodrecida. Senti horror, desespero, medo, e ainda choro ao lembrar desses momentos, tantos anos depois.

Não sabia para quem pedir auxílio, fui criada sem seguir religião nenhuma, aprendi a orar com meus últimos amigos e passei a ir à missa com meu ex-namorado.

Desesperada, agoniada, lembrei-me de Nossa Senhora e pedi a ela ajuda; orei de modo confuso. Escutei uma voz:

– Filha, arrependa-se do que fez!

– Que fiz?! – indaguei, conseguindo falar – Que fiz?!

– Matou seu corpo.

– Mentira, estou viva, sofro.

– Não tomou veneno? Não se lembra do hospital, de você no caixão, do velório?

– Se morri, não deveria estar no inferno?

– Acha que existe outro lugar pior do que este em que está?

– Aqui é horrível, tem razão, é o inferno! Mas não tive julgamento, não pude me defender!

Chorei desesperada, a pessoa que me falava esperou que parasse, só fiz isso quando cansei. Falou-me novamente:

– Sandra, você se suicidou, arrependa-se, peça perdão, rogue ao Pai Misericordioso auxílio. Então ajudarei você.

– Não posso pedir à Nossa Senhora? Tenho fé nela.

– Pode.

Comecei a rezar novamente de forma confusa, pedia perdão, rezava de novo. Estava inquieta, com medo, horror, as picadas eram intensas, tinha sede, fome, dores e a escuridão era apavorante.

Senti-me sendo puxada, arrancada daquele lugar horroroso. Vi aliviada o dono da voz, a pessoa que me ajudava.

Era um senhor de expressão bondosa; deitou-me no chão. Fiquei quieta a olhá-lo, agradecida; limpou-me, passava suas mãos em mim e os bichos (vermes) iam sumindo. Deu-me água, tomei uns goles e vomitei muito, sentindo-me melhor.

– Obrigada. – disse com dificuldade.

Carregou-me no colo como se fosse criancinha, levou-me para um abrigo. Lá mesmo, no cemitério, deu-me água e alimento. Uma senhora ajudou-o a limpar-me e a trocar minha roupa.

Dormi, acordei ainda confusa e aflita; voltei a dormir, tinha um sono agitado. Ao acordar novamente, uma senhora contou-me que meu corpo morrera, e que ali estava para um socorro, ajuda. Achei tudo estranho. Dias depois, sentindo-me melhor, levantei, andei e, achando que não era vigiada, fugi.

Fui para perto de amigos, dos ex-vizinhos, entendi que realmente meu corpo morrera, ninguém me via ou ouvia.

– Sou alma penada! – exclamei.

Fiquei algum tempo indo de um lado para outro, de casa em casa, vagando, ouvindo conversas, passando cada noite num lugar.

Vizinhos e amigos lamentavam meu falecimento e rezavam por mim.

Meus tios e minha avó sentiram muito, como também meus irmãos.

Minha mãe sofria muito.

Meu pai nada sentiu, achava que morri por minha vontade e que eu me danasse.

Meu ex-namorado sofreu tanto de remorso que até adoeceu. Tive pena dele.

Uma das minhas vizinhas, ou ex-vizinhas, pouco mais velha que eu, pessoa a quem sempre admirei, ou, por que não dizer, invejei, não de forma maldosa, mas porque achava que tinha tudo o que eu queria ter, chamou-me a atenção. Essa moça morava só com a mãe, o pai tinha morrido, vivia em paz, tinha um namorado bonito e educado, os dois pareciam felizes. Fiquei perto dela e, interessante, ela me via e respondia quando lhe falava. Contente por ter alguém para conversar, resolvi ficar com ela, morar na sua casa. Porém, minha amiga começou a se inquietar, disse que ia se benzer; fui junto.

Não conhecia o local aonde fomos, porém fomos bem tratadas. Com carinho tiraram-me de perto dela e levaram-me para outro cômodo bonito, confortável, onde adormeci.

Essa vizinha era médium, prejudiquei-a com meus fluidos. Quando vagava, vampirizava sem saber que prejudicava a um e outro, sentia muito enjôo, mal-estar, tonteiras, vontade de vomitar e ficava nervosa. Agora entendo que transmitia às pessoas de quem me aproximava esses sintomas.

Essa médium foi tomar passe num centro espírita; lá me adormeceram para que na próxima reunião de doutrinação a desencarnados pudessem orientar-me.

Acordei, levaram-me para uma sala onde estavam encarnados e desencarnados. Conforme me explicaram, assim são chamadas as pessoas de acordo com o plano em que estão vivendo, num corpo de carne ou não.

Pediram para que ficasse perto de um encarnado e que falasse o que sentia. Conversaram comigo delicadamente, sugerindo que fosse para um local me tratar. Oraram por mim, senti-me melhor e parti.

Levaram-me a um hospital onde são socorridos suicidas. Ali fiquei internada em uma de suas alas, na enfermaria de jovens e adolescentes.

Ninguém me condenou nem criticou. No começo, não gostei de lá, mas com o tempo aprendi a amar o local como também a querer bem às pessoas que me tratavam com tanta bondade. Hoje, tenho lá por meu lar.

Sarei: ficar livre dos enjôos e das dores, foi reconfortante. Passei a orar com sinceridade, a estudar o *O Evangelho Segundo o Espiritismo* e a ter aulas de moral cristã. Mudei meu modo de pensar e agir. Onde moro chama-se "Lar Senhora Esperança"; fico na parte destinada aos jovens. São muitos os hospitais-escola para suicidas no Brasil e na Terra. Infelizmente, são muitos os desertores da vida carnal, os que pensam matar o corpo mas que se decepcionam logo, por não conseguirem acabar com o espírito. E são muitos os que pensam enganar, provocando a morte do corpo por acidentes, porém, com a intenção de morrer de forma friamente calculada. Só que não enganam a si mesmos nem à espiritualidade. O erro está na intenção, não se brinca com a vida do corpo.

As enfermarias desses hospitais estão sempre ocupadas, e são muitos os adolescentes, jovens que ali estão internados. Não tenho planos para o futuro, sei que terei a bênção da reencarnação, não sei datas, devo seguir a orientação dos benfeitores do "Lar Senhora Esperança". Sou grata, aprendi muito e quero aprender mais.

– Sandra, é covarde ou corajosa a pessoa que se suicida?

Ao escutar essa pergunta de uma pessoa, não respondi imediatamente e fiquei a pensar.

Indaguei a outros internos, como a um senhor que desencarnara havia cinqüenta anos.

– Senhor Mauro, seu ato de se suicidar foi de coragem ou de covardia?

– Sandra, foi de covardia. Arruinei-me, gastei dinheiro que não era meu, iria para a cadeia, temi o escândalo, o falatório.

– O senhor não teve medo de matar seu corpo? Todos temem a morte!

– Aí, fui corajoso, não tive medo.

– Hum! Corajoso e covarde!

– E o senhor? Covarde ou corajoso? – indaguei a outro interno chamado Jairo.

– Corajoso. Matei meu corpo, e antes não tinha coragem nem de matar um animal.

– Por que fez?

– Estava com câncer e, antes que a doença me matasse, resolvi acabar com a vida.

– Não foi covarde diante da doença? Não seria mais prudente continuar encarnado, tantos desencarnaram com câncer. O senhor teve medo da doença?

– Hoje sei disso, dez cânceres não me fariam sofrer tanto como o suicídio; se antes achava que era corajoso, hoje me sinto covarde, egoísta.

– E você, Marília, por que se matou?

– Matei o corpo sem dar valor ao precioso veículo que o Pai me dera para meu crescimento espiritual. Fui tremendamente covarde e egoísta. Grávida, abandonada pelo pai do meu filho, temi as conseqüências de ser mãe solteira e suicidei-me. Nada fiz de corajoso, mas sim por um ato de covardia. Não pensei no sofrimento que daria aos meus pais, pensei somente em mim, na minha dor.

– Não teve medo na hora em que matou seu corpo carnal?

– Não, temi depois. Se o sofrimento que sente o suicida após a morte do corpo fosse mais divulgado e a ele fosse dado crédito, isso daria medo aos corajosos que não temem matar seu corpo. E aos covardes que pensam fugir de seus problemas, coragem para continuar vivendo encarnados. Nós, os suicidas, matamos o corpo que não é nem nosso, mas emprestado pela natureza!

Depois de muito pensar, acho que não são covardes nem corajosos, porém tremendamente egoístas. São muitos os motivos que levam as pessoas a cometer o suicídio, alguns sérios, mas nenhum justificável. Não existe qualquer justificativa. Sofrimentos encarnados são passageiros.

Dores, angústias, desilusões amorosas, traição, perda de entes queridos ou de bens materiais, solidão, medo, são lições a serem superadas. E muitos suicidas nem causas certas têm, resolvem fazer e pronto, como se não tivessem de dar satisfação de seu ato nem mesmo à sua consciência.

Num grande egoísmo, por não terem os acontecimentos como querem e desejam, sentem insatisfação e pensam em acabar com tudo, matando-se. Não pensam em ninguém, no sofrimento que podem causar a outras pessoas. Às vezes deseja-se mesmo que os outros sofram. Isso é egoísmo! Dever-se-ia antes pensar: se sofrem o que deveriam fazer para resolver seus problemas? Se acham que Deus é injusto, que o Pai os pune não lhes dando o que querem, deveriam pensar no que fazer para serem merecedores do que desejam. Não é certo querer que as outras pessoas façam a nossa vontade, como obrigar a alguém a nos amar, a mudar etc. Cada um é o que pode ser, nós é que temos a obrigação de melhorar, mudar. Nós sofremos as conseqüências do que fomos no passado e construímos agora o que seremos no futuro. É este entendimento que devemos ter, principalmente os que têm tendência ao suicídio; muitas pessoas sofrem igualmente ou até mais e suportam tudo! Devemos todos aceitar as dificuldades e sofrer com resignação.

Eu não pensei realmente em matar meu corpo, são muitos os que agem como agi, fazem pensando em fazer sofrer os que os cercam, para se vingar, para se pirraçar, assustar os outros. E ninguém sofreu mais que eu. Tomei o veneno pensando que somente passaria mal, iria para o hospital, todos iriam ficar com dó de mim e iriam fazer o que eu queria. Como minha mãe, não mudando de cidade, largando meu pai, ou que meu pai endireitaria, meu ex-namorado voltaria para mim e casaríamos etc. Não julguei o veneno tão forte, comecei a me sentir mal, mas esperei. Porém, o veneno era realmente forte e não deu para me socorrerem.

Nada do que planejei aconteceu. Desencarnei e os problemas continuaram, não poderia nunca forçar pessoas a fazer o que me era conveniente, nem meus tios e avós que gostavam de mim e sentiram meu desencarne. Para eles, eu deveria ficar com meus pais, a casa era pequena e eu incomodava-os com minhas reclamações e revolta. Com meu suicídio, acharam que estavam certos, deveria mesmo morar com meus pais.

Meu ex-namorado, coitado, teve a infelicidade de namorar-me. Era honesto, sincero, não me amava, achava que eu não era a pessoa certa para ele. Com meu ato, confirmou-se isso. Porém, ele sentiu muita culpa, sofreu por meu egoísmo, chegando até a adoecer. E sem culpa. Nunca poderia forçá-lo a me amar.

Minha mãe, amava e ama-me, mas também ama meu pai; a vida de brigas e desavenças não lhe é tão ruim. Sofreu muito, mas não se sentiu culpada por achar que sempre foi boa mãe e que não podia fazer o que lhe pedia. Casamento para ela é até que a morte os separe. Não quero dar opinião sobre seus atos, amo-a e peço-lhe sempre que me perdoe, sei que ela já me perdoou. Amamo-nos.

Meu pai, que desilusão, nada sentiu com o meu desencarne. Um dia, ao entrar em casa, já desencarnada, quando vagava, dele escutei:

– Sandra quis assim, fez sua vontade, se está sofrendo no inferno o problema é dela. Era cheia de vontades, não aceitava a vida que levava, quis morrer, azar. Não vou chorar e sofrer! Para mim, nunca existiu.

Infelizmente, sentia assim mesmo, nunca existi para ele.

São muitos como eu que brincam com a vida carnal, pensando em pirraçar, se vingar, fazer sofrer, e acabam sofrendo mais que todos. E há os que sofrem realmente e pensam que, com seu ato, ficará melhor aos entes queridos. Enganam-se: o suicídio não melhora em nada. E os que não têm ninguém encarnado julgam-se sozinhos, achando que seu ato não prejudicará ninguém, esquecem-se dos entes desencarnados, que sofrerão pelo seu ato, e de si mesmos, do sofrimento maior que encontrarão.

Hoje respondo a quem indaga: coragem ou covardia? Nem uma coisa nem outra; fui egoísta, não soube ter paciência diante das dificuldades nem quis resolvê-las, achei melhor usar uma chantagem para forçar os outros a resolverem por mim.

São muitos os adolescentes suicidas, e aumentam a cada dia os insensatos que matam o próprio corpo. Todos têm um porquê, são várias as causas, as estatísticas são alarmantes. Muitos camuflam o suicídio fazendo-o parecer acidente, só que não enganam a si mesmos, nem a Deus. Muitos pensam ser corajosos por dar fim no corpo, outros covardes diante das dificuldades. Mas a vida continua e os grandes problemas que tinham ficam pequenos diante das dores encontradas.

Penso como também pensam os muitos internos do "Lar Senhora Esperança": o que acontece é falta de religião, não da forma externa, mas sim da compreensão religiosa, do esclarecimento sem pieguismo, da religião que educa, faz entender a vida encarnada e desencarnada, principalmente os sofrimentos e o porquê deles. De sentir Deus no coração. Ter fé no que entende, raciocinar, compreender para ter confiança em Deus. Como disse Allan Kardec há tantos anos, não haverá suicídio consciente para os que estudam e compreendem as Leis Divinas.

Principalmente nós, que desencarnamos jovens, achamos que os problemas seriam melhor compreendidos e aceitos se tivéssemos seguido uma religião que nos fizesse entender a vida, que nos levasse a orar com fé e confiança, que nos levasse a crer na vida futura, na continuação da vida após a morte do corpo. Porque somos eternos, mata-se o corpo para continuar mais vivo que antes.

Do corpo temos o dever de cuidar com toda a atenção e carinho.

Do espírito, a necessidade de receber orientação, estudo para progredir sempre.

Da religião, o equilíbrio, o entendimento para viver no bem, seja como encarnado ou desencarnado.

Felizes os que conseguem entender no que acreditam. E o Espiritismo dá esta explicação com toda a sabedoria. E que o Espiritismo continue cada vez mais a elucidar a todos, encarnados e desencarnados, porque quem entende supera os problemas, o sofrimento é aceito, as dificuldades são recebidas como lições e, agindo assim, o suicídio não será nem tentação.

Sandra

Assombração

Passara um bom aperto. De madrugada me sentira mal, muitas dores no peito, mas, após horas de mal-estar, dormi. Acordei com o peito dolorido, levantei-me e fiquei em casa, não fui trabalhar naquele dia.

– O ruim de estar só é quando se passa mal.

Resmunguei, estava com cinqüenta e nove anos, solteiro. Nunca quis me casar, achava as mulheres complicadas demais; depois, amava a solidão. Há muito tempo morava naquela casinha isolada na fazenda de um senhor muito bom; trabalhava na roça, era lavrador. Gostava do que fazia, tinha tudo o que queria: um lugar para morar, rádio, algumas roupas e sossego. A dor que sentira à noite me fez, pela primeira vez, sentir falta de alguém para me fazer um chá, uma comida. Estava indisposto e não fizera nem meu almoço. Estava acostumado a ficar isolado, passava dias sem ver alguém e não sentia falta de companhia. Morava e trabalhava em um dos cantos da fazenda, no sopé da serra, longe das outras casas dos colonos.

Minha vida pareceu mudar com aquela dor que tive, sentia-me estranho, sem disposição. Depois de alguns, voltei ao trabalho; no dia do pagamento, fui receber. Meus companheiros pareceram-me um tanto estranhos, de pouca conversa.

Algum tempo depois, escutei meus colegas comentarem sobre a assombração. O assunto chamou-me a atenção e fiquei a escutar dois comapanheiros conversarem.

– Escuta-se barulho na lavoura de café como se alguém estivesse a carpir.

– O que ouvi foi um barulho de rádio ligado lá perto do sopé da serra.

"Sopé da serra? – indaguei curioso. – É perto de minha casa."

– Vamos nos reunir hoje à noite para conversar em casa, você vem? Zé, um deles, convidou o outro companheiro e a mim.

"Vou. – eu disse."

Fui para a casa a cismar, não vira nada nem ouvira, não gostava de pessoas mortas, tinha medo. Resolvi ir à casa do meu amigo.

Fui lá e encontrei outros companheiros. Como sempre, falei pouco e me pus mais a escutar. Jogaram cartas e falaram de novo da assombração, todos estavam assustados.

Já era tarde quando fomos embora, saí com dois colegas, caminhamos juntos um bom pedaço e fomos conversando sobre trabalho, falando sobre o que estávamos fazendo e os dois puseram-se a queixar-se do ordenado. Opinei:

– Larguem de ser preguiçosos...

– Virgem Maria!

Gritaram e correram em disparada. Gritei por eles, olhei em volta, não vi nada, resolvi correr e ir para casa. Fiquei impressionado, meus dois amigos gritaram com horror, devem ter visto algo de estranho, sabe-se lá por que não vi nada.

Na tarde seguinte, fui até as casas dos colonos, todos já haviam voltado do trabalho e só se falava no vulto que os dois amigos viram e que a assombração os chamara de preguiçosos.

Fiquei perto de duas mulheres que também escutavam, curiosas.

"Virgem Mãe! – exclamei."

– Nossa Senhora nos valha! – respondeu uma delas.

– Com quem conversa? – indagou outra.

– Com você, ora.

– Não falei nada.

Saíram correndo. "É pânico total", pensei.

Passei a ficar mais em casa e a ter medo da assombração que estava sempre aparecendo ora para um, ora para outro; quase todos os moradores da fazenda já haviam visto ou ouvido algo de estranho. Como não tinha visto nada, fiquei desconfiado que ela ia aparecer para mim.

O proprietário marcou uma reunião no domingo à tarde para resolver o assunto da assombração.

Foram todos os moradores, até alguns vizinhos da fazenda. Fui também e fiquei num canto.

– Meus amigos, – disse o proprietário da fazenda –, temos de resolver esse assunto da assombração. Estamos todos com medo. Não acreditava até que ouvi carpir o cafezal e não vi ninguém. Analisando os fatos, concluí que não é brincadeira, acho mesmo que é alma do outro mundo que está nos assombrando.

Todos falavam ao mesmo tempo. A assombração assustara a todos mesmo. Eu, que não vira nada, fiquei quieto rindo e achando interessante.

Algumas sugestões foram dadas para acabar com a assombração. Resolveram se reunir e orar pela alma da assombração.

A reunião acabou, cada um foi para sua casa.

No dia marcado, no sábado à noite, reunimo-nos para rezar o terço. Quando acabou, fomos embora, segui com um companheiro. Tive vontade de fumar e perguntei a ele:

– Tem fogo?

– Ai!!! – exclamou e correu; corri atrás.

Fomos ao encontro de um grupo que saía da casa onde rezamos o terço.

– Ouvi a assombração, estou passando mal. – disse meu companheiro, assustado.

Foi um rebuliço. Como a assombração não foi embora, marcaram outra reunião para a tarde do outro dia.

Fui para casa impressionado e com medo. No outro dia, fui à reunião, todos estavam preocupados, alguns já cogitavam mudar de lá.

Sugeriram chamar um padre para benzer.

– Padre não resolve, – disse um dos lavradores –, ele não acredita, achará que inventamos e ainda nos dará um sermão.

– Num centro espírita, resolve, – disse Evaristo. Sua idéia foi aceita, todos se calaram para ouvi-lo. – Uma vez fui a um centro espírita e eles tiraram o espírito que atentava minha irmã, ela ficou boa.

– Poderá ir lá e pedir ajuda?"– perguntou o proprietário.

– Posso, só quero que alguém vá comigo, tenho cisma de ir sozinho.

Um não podia ir, outro tinha medo, resolvi ir junto. Falei que ia.

Combinaram ir já no outro dia, na segunda-feira é que havia trabalho no centro espírita. O proprietário ia levar-nos de carro e deixar-nos perto do centro espírita e esperar quando acabasse a reunião para trazer-nos de volta. Ele não podia ir, era de outra religião e não acreditava em espiritismo.

Confesso que senti medo, não seguia religião nenhuma, dizia que era católico, rezava raramente, mas temia espíritos, pessoas mortas. Como falei que ia, lá estava eu no horário marcado. Evaristo, o proprietário e eu entramos no carro e fomos calados.

– É pena que ninguém mais quis vir – disse Evaristo.

"São uns medrosos, pensei."

Como combinamos, paramos na esquina. Evaristo e eu descemos e fomos. Era noite, senti um arrepio ao entrar no centro espírita. O local era simples, uma mesa com cadeiras e alguns bancos.

Evaristo foi conversar com um senhor que nos atendeu gentilmente. Meu amigo falou, eu fiquei quieto, escutando.

– Senhor, na fazenda onde moro e trabalho tem uma assombração. Estamos assustados e com medo. Gostamos de lá, mas estamos tão apavorados que muitos já pensam em se mudar. Os senhores podem ajudar-nos? Espíritas não têm medo de alma do outro mundo, não é mesmo? Por favor, façam-nos a caridade de levar embora essa assombração.

– Vamos ajudá-lo, sente-se aí.

Achando que Evaristo falava bem, sentei junto no banco.

Logo começaram a reunião, leram um pedaço muito bonito do livro *O Evangelho Segundo o Espiritismo* com que me emocionei; depois rezaram, rezei também. Começou um falatório que não entendi. De repente, um senhor muito educado chamou-me:

– Venha cá, por favor, fique aqui perto desta senhora que aquele homem quer falar com você.

– Será que ele não pode falar com Evaristo? Ele fala melhor – respondi.

– Venha cá você. – Sorriu e pegou na minha mão, levando-me para perto de uma mulher.

– Boa noite! Louvado seja Jesus! – saudou-me gentilmente um senhor.

– Para sempre seja louvado, boa noite! – respondi.

– O que o traz aqui?

– Viemos para pedir auxílio. Existe uma assombração na fazenda...

– Você já viu?

– Não, acho que sou o único que não viu nada.

– Observe este local, você, a senhora que está perto.

Olhei bem tudo, achei-me diferente da mulher.

– Parece que sou diferente...

– Escuta a voz que está falando. Veja se é a sua.

– Esquisito! – exclamei; falava e a mulher repetia alto e aquele homem respondia a ela.[12]

Nisso, pediram para que olhasse para uma tela à minha frente. Espantado, vi a fazenda, minha casa, eu deitado no meu leito a sentir dor. Lembrei-me daquela madrugada em que passei mal; depois daquele dia nunca mais fui o mesmo. Vi-me em duplo, um dormindo, senti que este não era realmente eu, e o outro acordado no leito. Dois dias após, vi meus companheiros chamando-me, arrombaram a porta e viram meu corpo; levaram-no e enterraram-no. Ali fiquei a dormir, me vi acordando, andando, carpindo etc. Entendi que morrera e não sabia; pelo que vi naquela tela, era eu a assombração. Dei uma bela gargalhada. Era somente eu que assombrava a todos.

12 – Tonico foi beneficiado por uma incorporação, por meio de uma médium. Para que entendesse que desencarnara, mostraram a ele como ocorrera sua desencarnação.

– Não é o local que é assombrado, era você que estava lá e, sem querer, assombrava. Você, indo para o plano espiritual não assombrará mais. Meu irmão, não deve se preocupar mais com sua casinha, não necessita mais dela. E você, Evaristo, não tenha mais medo, a fazenda não será mais assombrada.

Meio aborrecido, envergonhado de ter morrido e ninguém ter me contato, saí de perto da médium e fiquei numa fila juntamente com outros iguais a mim, desencarnados. Observando, vi que realmente era diferente dos vivo no corpo de carne, os encarnados.

Levaram-me para um local muito bonito, logo me acostumei. Aprendi a orar e entendi mais sobre meu estado de desencarnado. Vivia agora num outro corpo: o perispírito – e sentia-me muito bem. O vexame de minha desencarnação não me saía da cabeça. Um dia, ao estar a sós com meu professor, perguntei:

– Por que desencarnei e não soube?

– A morte do corpo é um processo natural e, para todos os que têm o corpo físico, não é um acontecimento extraordinário, é simples. São muitos os que, como você, desencarnam e permanecem na ilusão de estar encarnado. Bem que você sentiu algo de estranho, mas não quis saber o porquê, não pesquisou. A maioria encarnada não pensa na morte para si, não se prepara para essa mudança e teme, prefere iludir-se, assim desencarna e pensa estar encarnada.

– Como consegui assombrar? Não queria fazer isso.

– São bem diversificados os fenômenos chamados sobrenaturais. Espíritos que se fazem visíveis a encarnados fazem-no por diversos motivos. Uns, conhecendo seu estado de desencarnado, assustam porque gostam, por vingança, até mesmo por ciúme dos bens que julgavam lhes pertencer. Outros, como você, desconhecendo seu estado de desencarnado, continuam como se estivessem no corpo carnal a fazer o que costumavam, e pessoas mais sensíveis conseguem ver ou ouvir. A sensibilidade está aflorando cada vez mais neste final de milênio. E como você morava num local isolado, no campo, essa manifestação tornou-se mais fácil.

– Agia realmente como encarnado, até pensava receber meu ordenado, explique-me.

– Tonico, você plasmava, sua ilusão lhe era tão forte que tudo lhe parecia real. Ia receber seu ordenado, via o proprietário, plasmava seu soldo, imaginava o dinheiro e via-o em sua mão. Como também pensava ouvir o rádio, mentalizava músicas conhecidas suas e se alguém encarnado entrasse na sua faixa mental, julgaria estar ouvindo rádio. Você viveu na ilusão, pensava ter, fazer, imaginava tudo.

– Assustando, prejudiquei-os sem saber.

– Não tanto como julga. Aprenderam com esse fato que o espírito continua vivendo após a morte do corpo.

– Nunca pensei ser assombração, sonhei em ser muitas coisas, menos alma do outro mundo. Triste o título: Tonico, assombração.

– Com sua vinda para cá, os fenômenos que os assombravam acabaram, não deve pensar mais nesse fato. Não está feliz aqui?

– Estou muito bem.

– Você deve aprender. Quem sabe não se confunde, não vira assombração.

– É mais fácil desencarnar conhecendo e não temendo a morte do corpo.

– É verdade, aqueles que sabem não se confundem com o desencarne. Para os bons, a mudança é melhor; para os que desencarnam com atos ruins, é um pesadelo. Cada um tem após a morte do corpo o que merece, o que fez por merecer.

De fato, oportunidades de saber todos têm, só não aprende quem não quer. A morte chega sem avisar e passa-se de encarnado para desencarnado num piscar de olhos. Felizes os que no corpo físico entendem e aceitam a morte como uma simples mudança.

O tempo passou e aprendi mesmo. Convidado a narrar minha partida a uma senhora, a médium, fiz educadamente, simplesmente e, para minha alegria, não a assombrei.

Tonico

A Botânica

Estava com trinta e cinco anos, casada, com três filhos ainda pequenos. Dizia sempre que tudo estava normal e, realmente, estava para mim. Meu esposo, um empresário de classe média, dava-nos muito conforto. Morávamos numa casa no subúrbio de uma próspera cidade. A área onde se localizava a casa era enorme: uma chácara. Plantas, árvores estavam por toda parte. Era formada em Botânica, amava minha profissão. Tinha em casa uma grande estufa com plantas raras e exóticas e estudava-as com entusiasmo. Conseguira muitas espécies de plantas de diversos países, por correspondência com colecionadores e botânicos.

Quando notei meu esposo distante, compreendi que não estava dando atenção para ele nem para os meus filhos. Tentei mudar, mas não deu mais. Meu esposo disse-me claramente:

– Analisa, estou apaixonado por outra, quero o divórcio.

Levei um susto, tentei acalmar-me e ganhar tempo para resolver o que faria, respondi calmamente:

– Querido, não está sendo precipitado na sua decisão? Vamos resolver com calma, esperaremos um mês; peço-lhe trinta dias, se depois quiser a separação, nós nos divorciamos.

Ele concordou. Nos dias seguintes, tentei reconquistá-lo, mas não consegui. Descobri que ele estava apaixonado por uma moça jovem e bonita e que não ia mudar de opinião. Senti raiva e ciúme. Não queria perdê-lo, nem minha posição favorável.

Sabia fazer um veneno com ervas que faria a morte física parecer um enfarte. Aprendera há tempo com um senhor idoso, que já havia morrido e que fora conhecido como feiticeiro. Tinha as ervas; não hesitei e fiz. Resolvi que era preferível vê-lo morto do que com outra; amava-o e, também por orgulho, não queria perdê-lo. Sua morte ia trazer vantagem para mim. Ficaríamos, meus filhos e eu, com os bens materiais e receberia o seguro, que era uma razoável quantia. Com esse dinheiro, realizaria meu sonho de ir à Índia pesquisar plantas nativas com que sonhara tanto.

Três dias faltavam para findar o prazo; decidi matá-lo naquela noite. Costumávamos tomar uma taça de vinho ou licor após o jantar. Antes, porém, indaguei:

– Há possibilidade de você desistir do divórcio?

– Não! – respondeu-me secamente.

– Então, brindemos à separação!

Pus vinho nas duas taças e pinguei gotas de veneno em uma delas, joguei o resto na pia. Havia mais em meu pequeno laboratório ao lado da estufa, caso precisasse. Joguei o vidrinho no lixo. Nesse instante, meus filhos brigavam e meu caçula começou a chorar. Fui acudi-lo, caíra e machucara levemente a testa. Fiz um pequeno curativo, consolei-o e voltei às taças de vinho. Meu esposo veio atrás de mim e pegou uma taça. Por instantes fiquei em dúvida, era a taça com veneno a que ele pegara? Achando que sim, peguei a minha e batemos levemente uma na outra. Ele bebeu, eu experimentei; como o sabor estava como o de sempre, bebi.

Lavei as taças, tomei algumas providências na cozinha e fui para a sala de estar. No hall, senti-me mal, fiquei paralisada, uma dor forte no peito tonteou-me e não consegui respirar mais. Ainda escutei meu filho gritar.

– Papai, mamãe está se sentido mal!

Caí, estava com a mão no peito e senti o coração parar. Apavorada, entendi que tomara o vinho da taça errada.

Vi de forma rápida cenas de minha vida; vieram-me como lembranças, independentemente de minha vontade. Não conseguia respirar, fiquei apavorada. Vi o médico examinar-me e dizer:

– Está morta! Teve um enfarte.

Percebi que meu corpo não dava sinal de vida, o veneno era eficiente. Só com uma autópsia poderiam encontrar veneno no meu corpo. Não julgando necessária a autópsia, o médico constatou que eu morrera. Mas eu sabia que estava viva, sentia-me viva. Pensei: o veneno paralisa, não mata, morre-se porque o corpo é enterrado. Fiquei apavorada, por alguns momentos passava por estranha dormência. Vi que me enterraram. De repente, estava sentada no meu túmulo; li, na placa recém-colocada, meu nome gravado.

Não consegui entender o que se passava comigo, certa de que estava louca. Andava pelo cemitério, ia à minha casa. Meu esposo casou-se com a outra e ela ficou sendo a dona do meu lar. Muitas das minhas plantas foram jogadas fora, outras doadas. De minha estufa fizeram um galpão, uma área de lazer para as crianças. Meus sentimentos eram confusos, amava e odiava meu ex-esposo, amava meus filhos. Ora sentia ciúme deles por gostarem da madrasta, ora era grata a ela por cuidar dos meus filhos, ora detestava-a ao vê-la repreendendo-os.

Sofria muito, não tinha sossego, não dormia, padecia de muitas dores e falta de ar. Recordava pedaços de minha existência; parecia que só as partes em que errara vinham-me à mente, martirizando-me. Parecia que sofria há séculos, mas via meus filhos crescerem e entendia que se passavam anos somente.

Meu filho casou-se. Vieram ele e a esposa visitar o pai. Estava no galpão, observando-os de longe. Quando entraram em minha ex-estufa, ela me viu.

– Marcia, você está branca. Sente-se mal? Está assustada? – Indagou meu fiho a ela.

– Não, não tenho nada.

Meu filho saiu do galpão, ela ficou e se aproximou de mim. Nunca, nesses anos todos, alguém me dera atenção. Fugia de grupos de desencarnados que sempre me ofendiam, temia-os. Fiquei curiosa e não saí do lugar, observei-a. Ao se aproximar de mim, senti pela primeira vez um conforto.

"Quem é você? Que faz aqui?" – perguntou-me. Não falou com os lábios, pensou; mas ouvi perfeitamente.

"Sou a mãe de seu marido. Sua sogra, portanto."

"Ainda assim?! Tantos anos! Foi boa, desencarnou por um enfarte."

Não respondi, lágrimas rolaram por minhas faces. Ninguém soube do meu crime, do meu erro, só eu. Que adianta esconder de todos, não se engana a si mesmo. Minha nora insistiu:

"Não sabe orar? Peça ajuda a Jesus!"

Orar, não sabia. Encarnada, sabia recitar algumas orações decoradas; agora, esquecera até isso. Não tinha religião, não me preocupava com esse fato. Tinha várias teorias sobre Deus e não me aprofundei em nenhuma delas.

"Vou orar para a senhora."

Orou, senti sono, acomodei-me num canto e dormi.

– Como está, minha filha?

Acordei, abri bem os olhos e vi que estava num local estranho. Estava rodeada por pessoas vivas no corpo carnal e outras, como eu, só que diferentes, bem diferentes: eram limpas, bonitas, luminosas e felizes.

Estava pertinho de um moço com corpo de carne (encarnado) e quem se dirigia a mim era uma senhora encarnada, simpática e bondosa.

– Eu?! Não sei... – Respondi com dificuldade. – A senhora está me vendo?

O moço repetia o que eu falava, estava ele também incomodado e, como eu, parecia estar com falta de ar.

– Ele está me imitando? – indaguei.

– Não, filha, ele repete o que fala para que possamos escutá-la e ajudá-la.

Novamente observei as pessoas e vi, entre os encarnados, minha nora.

– Ah! – exclamei.

– Podemos ajudá-la? – insistiu a senhora.

– Não sei.

Estava confusa, um senhor desencarnado ligou um aparelho; à minha frente estava uma tela fina. Nela vi partes de minha vida, minha morte, meu enterro, meu túmulo.

– O que aconteceu comigo, meu Deus?!

– Seu corpo morreu, está viva em espírito, pois somos eternos. Necessita, minha filha, pedir perdão de seus erros a Deus, aceitar nossa ajuda e seguir para o plano espiritual.

O senhor desencarnado jogou sobre um pó colorido (fluidos) e minha falta de ar foi se abrandando, as dores suavizando e chorei.

– Filha, seja humilde, perdoa e peça perdão.

– Meus Deus, perdoa-me!

Realmente me arrenpendi e pedi perdão com muita vontade de ser perdoada.

– Graças a Deus! Siga com este irmão que está ao seu lado.

Adormeci. Que sono maravilhoso! Acordei sem dores, sem falta de ar, limpa num leito. Soube depois que estava numa enfermaria, num posto de socorro.

Levei tempo para me recuperar. Ali no posto de socorro aprendi muito, entendi que desencarnara ao tentar matar meu esposo. Meu corpo morrera envenenado com o veneno que eu mesma preparei. Sofri a reação de minha ação maléfica. E, se muitas vezes culpei a Deus por meu sofrimento, foi por revolta. Deus não quer que seus filhos matem, errem. Ele respeita nosso livre-arbítrio, porém somos donos de nossos atos, as reações são conforme nossas ações. Deus Pai espera que voltemos a Ele, reconhecendo nossos erros e com o propósito de não errar mais. Mesmo sofrendo, não reconheci meu erro, até que uma encarnada, minha nora, bondosamente me auxiliou; não teve medo e pediu por mim. O grupo espírita do qual ela faz parte socorreu-me, viram-me como irmã, amaram-me como todos os que vão em busca de socorro, criminosos ou não, são amados num centro espírita.

O trabalho, o estudo nas escolas do espaço tiraram-me da apatia e do remorso destrutivo. Temos sempre oportunidade e precisamos de força para melhorar. Aos poucos, as cicatrizes perispirituais vão sumindo, tenho consciência de que as dores sentidas foram provocadas por mim. Devo reencarnar, receber a bênção de um recomeço. Sei por escolha que não terei um corpo perfeito, espero que assim aprenda a lição, a dar valor tanto à minha vestimenta carnal como à dos meus irmãos.

Aprendo a amar.

Sou grata a Deus por amar-me, mesmo quando ainda não o amava. Amo a todos os irmãos caridosos que repelem o erro, mas não repelem o irmão que errou.

Analisa

O Acidente

Estava contente, feliz com a viagem que estávamos fazendo. A vida para mim era maravilhosa. Tínhamos pequenos problemas mas, quem não os tem? Mas eram solucionáveis. Dinheiro ajuda a resolver quase tudo, pensei.

O Natal se aproximava, fomos, meu esposo e eu, fazer compras numa cidade maior, não longe de onde residíamos. Adorava fazer compras, adorava viver. Estava muito bem para minha idade, com boa saúde. Combinávamos muito bem meu esposo e eu; apesar de tantos anos de casados ainda nos amávamos e já tínhamos até netos.

Falávamos sobre nossos netos quando um caminhão, saindo de sua pista, veio ao nosso encontro. Meu esposo, bom motorista, tentou desviar, mas o acidente foi inevitável. A pancada foi horrível. O que aconteceu depois foram os piores momentos de minha vida, os mais confusos. Fui jogada para a frente, meu corpo bateu no pára-brisa e, em seguida, fui prensada no banco. O barulho foi grande, de freadas, lataria amassando, vidros quebrando, tanto que fiquei atordoada. Quando silenciou e o carro parou, vi-me fora do carro, ao lado dele. Estava confusa e pus-me a olhá-lo, o nosso automóvel luxuoso e caro ficou em estado deplorável. Aí, lembrei-me do meu esposo e gritei por ele. Corri para o outro lado, vi-o todo sangrando, quieto. Tentei sacudi-lo, não consegui. Ele estava prensado de tal forma que vi somente a cabeça e os ombros. Logo outros carros pararam, pessoas desceram e aproximaram-se tentado socorrer-nos.

– Estão mortos!

– Mortos os dois! Chamem logo a polícia!

Escutava as pessoas falarem, queria dizer que estava viva, mas não conseguia. Não sentia dores, estava somente atordoada. Fiquei ali de pé olhando as pessoas observarem o acidente, alguns a examinar o corpo do meu esposo e outros a mexer no carro.

"Ei, – consegui finalmente dizer –, não mexa aí, está nos roubando!"

Tentei alertar as outras pessoas que observavam, mas, que nada! Elas não me atendiam e alguns desonestos continuavam a mexer em nossos objetos, roubando-nos. A polícia chegou juntamente com a ambulância. Pensei: "Agora não mais nos roubarão!" Mas pegaram todo o nosso dinheiro, jóias, tudo o que havia de valor. Apavorada, vi tirarem o carro debaixo do caminhão. Vi o corpo do meu esposo e um outro corpo; senti-me gelar, parecia o meu corpo!

Colocaram os corpos na ambulância, entrei também. Quis ficar perto de meu esposo, depois achei que deveria medicar-me. Mas, estranho, não sentia nada, não me machucara.[13]

No hospital, outro pesadelo, médicos e enfermeiros falavam ao examinar os corpos:

– Estão mortos, morreram na hora!

Abraçada ao corpo do meu esposo que estava todo sujo de sangue, chorei desesperada. Ninguém havia prestado atenção em mim. Somente um senhor de aspecto humilde pôs a mão no meu ombro e falou baixinho:

– Filha, não se desespere!

– Tire a mão de mim, quer me roubar?

Normalmente era educada, mas estava desesperada e nunca gostara de intimidades com pessoas simples; o senhor afastou-se. Levaram os corpos para um outro local, fui junto e fiquei num canto quieta. Senti-me mais aliviada ao escutar que já haviam comunicado à família.

Fiquei ali horas, agoniada, veio à minha mente que poderia ter realmente morrido. Dizia ser católica, mas para ter status. Não tinha mesmo religião nenhuma. Lera alguns livros espíritas de que gostara muito. Agora eles me vinham à mente e, aflita, pensei que deveria ter desencarnado.

---

13 – Marta teve seu corpo morto no choque, foi desligada bruscamente, seu perispírito não foi magoado.

Foi com alívio que vi meus filhos entrarem naquela sala. Abri meus braços para recebê-los, porém passaram por mim, chorando.

– Mamãe! Papai! Mortos... – exclamou meu filho.

– Não! Não pode ser! Não quero! – gritei!

Foram ao encontro dos dois corpos que estavam em cima de uma mesa. Cambaleando, aproximei-me: os corpos estavam enfaixados com gaze e limpos. Vi meu esposo e meu corpo. Senti-me gelar, perdi as forças, não vi mais nada, tudo escureceu e caí.

Acordei num leito, numa enfermaria com muitas pessoas, senti nojo, nunca estivera numa enfermaria. Sentei-me na cama.

– Precisa de algo?

Olhei para a pessoa que se dirigira a mim: era uma senhora vestida de branco. Fechei a cara, ela continuou a sorrir, calmamente.

– Onde estou?

– Num hospital.

Lembrei-me do acidente horroroso.

– Desencarnei? – perguntei baixinho.

– Sim.

– Não fui levada para uma colônia?

– Ainda não, está num pequeno posto de socorro. Quer ir para uma colônia?

– Não, quero ir para casa.

– Por quê? Se compreende, deve saber que tudo será diferente.

– Não faz mal, se você quer ajudar-me, leve-me até lá, depois resolvo o que fazer.

– Não posso fazer o que me pede, procure acalmar-se e pense melhor, minha irmã.

– Não sou sua irmã... – falei nervosa.

A enfermeira saiu e fiquei a pensar: não queria ficar ali entre tantas pessoas, queria um tratamento especial, com um quarto só para mim e uma enfermeira com muitos conhecimentos. Será que estou sonhando? Veio-me uma esperança. Ou será que desencarnar é assim? Quero ir para casa! Pensei tão forte em minha casa que fui impulsionada para lá. Meu lar estava fechado. Examinei-o e, aliviada, vi que tudo estava como sempre: lindo, grande, bem decorado, tudo do meu gosto. Amava meu lar, minhas roupas, tudo o que tinha.

A casa estava silenciosa. Antes era sempre festa, recebia muitas visitas, meus filhos vinham sempre nos ver, os netos corriam alegres pela casa. Algum tempo fiquei sozinha, sem ver ninguém. Um dia, abriram a casa, vi todos os meus filhos reunidos, alegrei-me, mas vieram para repartir os objetos, como também a fortuna. Para meu desespero, surgiram brigas na partilha. Ali no meu lar, brigaram pelos quadros, pelas jóias, pelos móveis, por tudo. Enfim, tudo decidido, foram levando os móveis da casa; fiquei ali, olhando e chorando, desesperada.

Amava aquela casa, era minha e nada restou, somente eu e as paredes vazias. Ouvi-os eles dizerem que haviam alugado o imóvel e que logo outra família iria mudar para lá. Chorei muito, meu sofrimento era grande, doído, estava perdendo tudo o que amava, a vida me tirava tudo...

Lembrei-me de uma tia, pessoa muito boa, paciente, que há tempo desencarnara. Em prantos, chamei por ela, pedi de joelhos a Jesus que permitisse à tia Isaura ajudar-me. Um clarão apareceu na sala, vi-a calma, feliz; sorrindo tranqüila, abraçou-me fortemente.

– Marta, venha comigo, vou levá-la para um local de socorro.

– Amava tanto tudo o que me pertencia... Veja, tia, o que fizeram de minha casa, repartiram tudo, minha jóias, minhas roupas... – queixei-me chorando.

– Não sabia que objetos materiais são passageiros? Estão sob nossa guarda temporariamente, não somos donos de nada, nem do nosso corpo! Deixe tudo e venha comigo.

– Não quero, amo minhas coisas, como as abandonar? Depois, não quero ir para uma enfermaria!

– Por que quer privilégios? Merece? Por que me chamou? O que deseja realmente de mim?

– Quero que fale com os meus filhos, quero que eles deixem a casa como estava; ficarei aqui, é tudo meu.

– Desencarnei também, lembra? Como falarei a eles? Depois, nem se pudesse falaria isso, estaria prejudicando-a. Ao termos o corpo morto, não se pode estar mais entre encarnados.

Minha tia desapareceu, ela não podia me ajudar. Fiquei a chorar, sofri muito, comecei a sentir fraqueza e uma profunda e agoniada tristeza.

Vi uma mudança chegando. Outras pessoas se estabeleceram em minha casa, indivíduos para mim, naquele momento, sem educação e gosto. Mas, mesmo assim, fiquei lá, procurando ficar sozinha pelos cantos da casa que tanto amava.

Um dia, senti minha filha me chamando; ela morava perto, resolvi ir até sua casa.

Ela estava triste, sofrendo, achava-se lesada na partilha, brigara com o marido, sentia minha falta e do pai. Aí, lembrei-me do meu esposo: se morremos ou desencarnamos juntos, onde ele estaria? Chamei-o muitas vezes, e nada! Já que minha casa estava ocupada por estranhos, resolvi ficar com minha filha; lá não sentia tanta fraqueza.

Semanas depois, minha filha conversou com um amigo, pessoa espírita, muito boa, e queixou-se da saudade, da falta da casa dos pais, de uma estranha fraqueza, e lhe pediu ajuda. Naquela noite, sem que eu conseguisse entender o que ocorria, senti que me pegavam e transportavam. Foi o que realmente aconteceu: bons espíritos vieram buscar-me para receber orientação no centro espírita. Lá fui convidada a falar por meio de um médium; fiz isso um tanto encabulada, mostraram-me o acidente em que morrera e meu enterro. E explicaram que eu desencarnara e que tinha necessidade de ir para uma escola, onde receberia orientação de como viver desencarnada.

Chorei desesperada e com revolta, não queria ter morrido, não queria deixar meus bens materiais, amava a vida encarnada. Por que não desencarnam só os que querem isso? A morte foi injusta para comigo, não a queria. Pacientemente, orientaram-me que nada do que muito amava me pertencia, tudo fora emprestado e teria de abandonar aqui. Que a morte do corpo é para todos e que cada um tem a hora certa de fazer a mudança do mundo físico para o espiritual. Que não podia ficar mais com meus familiares, pois, sem querer, os prejudicava, alimentando-me de suas energias e transmitindo a eles minhas sensações. Adormeceram-me.

Acordei numa enfermaria limpa, ampla, bem simples. Sinceramente, não gostei. Amava o luxo que sempre tivera, não gostava de nada simples. Com o dinherio tivera muitas regalias e sentia falta delas. Fiquei quieta, não conversei com ninguém e, respeitando meu silêncio, ninguém falou comigo. Pus-me a pensar. Sentia muita saudade do meu esposo, onde ele estaria? Desencarnamos juntos?

Depois de alguns dias, recebi uma visita: Angelina, uma velhinha desencarnada havia anos. Ajudei-a quando encarnada com esmolas. Cumprimentou-me sorrindo, estava muito bem e feliz:

– Dona Marta, seja bem-vinda ao novo lar, tente ficar, não volte, não sabe o perigo que corre vagando, poderá cair nas mãos dos espíritos maus. (Angelina lia meus pensamentos. Naquele momento, pensava em voltar para perto de minha filha.)

– Fique, terei prazer em ajudá-la.

– Você, ajudando-me? – Não pude deixar de falar. – Outrora eu é que a ajudava.

– Por isso mesmo, sinto-me feliz em retribuir.

– O que dei a você não me fez falta...

– Para mim foi de grande auxílio. Também não me fará falta o que posso lhe dar. Quando ajudamos com carinho, nada nos faz falta. A senhora, dona Marta, muito me ajudou, fez muita caridade material e são muitas as orações em seu favor, de seus auxiliados; por isso está aqui para receber ajuda. Mas queira receber, esqueça sua ex-casa, seus ex-objetos, aprenda a amar o que é verdadeiro!

– Sou pobre aqui!

– É somente igual a todos.

Com a ajuda de Angelina, fiquei. Esta minha amiga deu-me a maior das caridades: orientação e consolo. O tempo passou lentamente, sofri por muito amar o que julguei que me pertencia, na matéria.

Soube de meu esposo, como vim a saber também dos muitos erros que cometera, que sua fortuna não fora adquirida tão honestamente como eu pensava, e que, para ter, pisara em muitas pessoas. Para minha decepção, ele tivera muitas amantes. E sua desencarnação não fora igual à minha. Ficou ele no corpo e assim fora enterrado; após muito tempo fora desligado da matéria podre e ficara a vagar no Umbral. Perdoei e tenho orado muito por ele, que, revoltado, vaga com rancor de tudo e de todos, sem entender que, se sofre, é pela reação de seus atos desonestos. Espero que ele venha a melhorar, arrepender-se, para que possa ajudá-lo. Eu, mesmo tempos depois, sinto ainda muita necessidade de aprender, consolidar os ensinamentos que recebi pois ainda tenho saudades, sinto falta de minha casa, dos meus objetos, do meu corpo físico. Como é triste colocar, como eu, sentimentos materiais acima dos espirituais! Como é triste despertar da vida fútil pela morte e sentir-se pobre, vazia, mais necessitada que a simples mendiga que se alimentava com migalhas.

As necessidades do espírito são diferentes das do corpo. Prudentes são aqueles que, enquanto encarnados, cuidam dos dois.

Marta

O Umbral

Fui atingido por um tiro, feriu-me do lado direito do peito. O projétil atingiu meu pulmão, meu corpo morreu lentamente, desencarnei agoniado, com falta de ar e hemorragia.

Tarde da noite, saí de um bar e fui para casa; morava nessa época com minha mãe, que me tolerava por dar-lhe dinheiro. Tivera muitas mulheres, tinha filhos espalhados e por nenhum tive sentimento paternal, não amava ninguém.

Para ir à casa de minha mãe, tinha de passar por um local bem isolado, atrás de um campo de futebol, e foi de tocaia, traiçoeiramente, que me atingiram.

Quem atirou nem teve o trabalho de verificar se estava morto. E lá fiquei a morrer lentamente. Senti uma dor tão profunda, tão doída, que cai. Tentei arrastar-me e o fiz por alguns metros; depois desisti, tentei atar o ferimento com o lenço, em vão: ele continuou a sangrar.

Quem poderia ter me atingido? Tinha tantos inimigos, pensei. Quem atirou demonstrou ser mais esperto que eu!

Agoniado, com muitas dores, comecei a ter hemorragia também pela boca e a sentir sede, a sede agoniada dos que perdem sangue.

Cenas da minha vida vieram à minha mente. Pedaços dos momentos que vivi, principalmente os meus erros, que não foram poucos. Não tive pai, meus irmãos e eu fomos criados pelas ruas, minha mãe era uma prostituta que estava sempre bêbada. Minha vida de marginal começou quando criança, de pequenos roubos aos grandes. Matara muitas pessoas, talvez por isso não sentia raiva do meu assassino. Deve-se ser frio diante da morte, pensava sempre, até da minha. As cenas vieram tão nítidas, com detalhes, que concluí: isto deve ser porque vou morrer. Mas não me arrependi de nada. Para alguns crimes, dizia: "Bem-feito! – Teve o que mereceu." Como achei também que merecia morrer, o mundo não perderia nada, ganharia, sem dúvida, já que a Justiça nunca conseguiu castigar-me, nunca fui preso, sempre fui esperto para safar-me.

Parecia que não tinha mais sangue nem forças, não enxerguei mais, a sede atormentava-me, não senti mais dores. Escutei:

– Tião, larga de ser mole, abandona esse corpo, ele já morreu, venha!

Senti alguém mexer em mim por algum tempo. De repente, num puxão, levantei e senti alguém me pegar pelos braços e me sustentar de pé. Enxerguei tudo confuso e embaçado, vi meu corpo numa poça de sangue e quatro vultos: eram homens que não conhecia, mexiam ainda no meu corpo, riam e diziam palavrões. Levaram-me, entramos numa estranha cidade e, depois, numa casa. Fui deitado cuidadosamente no chão. Um homem com um olhar estranho aproximou-se e ergueu as mãos sobre mim. Fui me sentindo melhor e passei a enxergar nitidamente.

– Tião – disse ele –, seu corpo morreu e veio ter conosco. Você é igual a nós, valente, assasino e ladrão. Dei ordem para meus servidores retirá-lo do seu cadáver. Assustado? Matou tantos, sabia que um dia irira morrer, não é? Não são somente os bestas dos bons que sabem desligar o espírito do corpo, sabemos também, e fazemos isso aos nossos servidores que desencarnam. Você me fez alguns favores: todos os que quis que matasse, você matou. Aliás, você mata fácil, continuará me servindo.

Olhei em volta, estava num salão; cinco homens, que deveriam ser os servidores, olharam-me silenciosos. Um deles ajudou-me a sentar. Esforcei-me para perguntar ao estranho que me dirigia a palavra.

– Por que tenho de servi-lo?

– Deve aprender a ser grato! Ajudei-o, senão estaria no corpo a senti-lo apodrecer, ou nas garras dos idiotas que assassinou. Você não tem escolha, serviu-me encarnado, servirá agora.

– Não me lembro de ter servido a ninguém.

– Ora, ora – riu alto – Quando roubava, matava, servia ao mal, ou acha-se bonzinho e merecedor do Céu?

– Estou no Inferno?

– Aqui tem muitos nomes, chame como quiser; no Céu é que não está. É melhor acatar as ordens, não costumo discutir, se você não fosse novato, receberia um castigo. Mas dou-lhe escolha, fica conosco ou entrego-o aos seus inimigos.

– Fico.

– Irá descansar, receberá o que deseja. Quando estiver bem, se apresentará ao meu servidor-chefe e pertencerá ao bando. Ajudaram-me a levantar e fui levado para um quarto. Uma mulher tratou de mim, fiz algumas perguntas a ela. Vim a saber que estava numa cidade de desencarnados, numa organização dos maus e que o nome certo do local era Umbral. A cidade não era grande e o chefe, todo-poderoso, era o que me ajudara. Aconselhou-me a obedecê-lo, porque era seu costume castigar os desobedientes de modo terrível.

Alguns dias depois, estava bem; levado pela mulher que cuidou de mim, apresentei-me ao servidor-chefe.[14]

– Não sei se estou bem, não gosto de ficar à toa, apresento-me a você.

– Senhor. Aqui deve chamar a todos os seus superiores de senhor. Gosto de pessoas dispostas, odeio preguiçosos. Os maus não são ociosos, os filhos das trevas

14 – Na cidade onde Tião foi acolhido, os que serviam eram chamados de servidores. Nomes, formas de tratamento diferem nos diversos lugares do Umbral, como empregados, membros da turma, gangue etc. Diferem também as dos escravos: estes são tratados em condições piores.

devem ser eficientes e trabalhadores. Para os preguiçosos, a escravidão! Começará conhecendo a cidade, depois descanse.

Ordenou que um dos guardas me mostrasse a cidade. Logo entendi por que deveria obedecer.

Só era grande a casa do chefe, que aliás era chamado de Imperador. Os outros prédios eram pequenos, as ruas tortas, a iluminação escassa; para mim, estava tudo bem. Os moradores da estranha cidade eram homens e mulheres, talvez um pouco mais os do sexo masculino. Dividiam-se em duas classes: os que mandavam – o Imperador e seus chefes – e os que obedeciam. A segunda classe era composta por servidores, escravos e torturados. Os servidores, de ambos sexos, tinham regalias de cidadãos livres, eram muitos, tinham deveres e trabalhos. Afinavam-se na maldade e nos maus costumes. Para ser um servidor, deveriam ter feito muitas ações más. Os escravos eram os que não davam para ser servidores; ali estavam para trabalhar no pesado, tinham lá seus vícios porque não mereciam ser socorridos pelos bons. Foram para os Umbrais por ter vibrações pesadas e, a maioria não aceitava a morte do corpo. Ficaram a vagar e foram pegos e presos de acordo com as necessidades da cidade. Eram tratados com desprezo e com muitos castigos, sofrendo horrores. Os torturados lá estavam também por ter vibrações ruins, eram torturados por uma única razão: vingança por parte de qualquer servidor. São inúmeras as formas de tortura nesses locais, que, infelizmente, são muitos pelo imenso Umbral. Fiquei chocado! Não gostava de torturar, sempre assassinei friamente, não errava o alvo, atirava para matar. Para os torturados, a cidade era um local horrível. O local de castigos era uma caverna: buraco com muitas celas e aparelhos de tortura de várias espécies, buracos escuros com bichos, escorpiões, cobras etc. Gritos angustiados fizeram com que saísse logo dali. Os servidores desobedientes recebiam castigos pesados, podendo ser rebaixados a escravos.

Havia poucas maneiras de entrar na cidade; era rodeada por muros altos, as entradas com grandes portões eram muito bem guardadas por servidores. Havia, nesta estranha metrópole, muitos salões: de festas, de audiência, onde o Imperador falava aos servidores, local de muito luxo e enfeitado. Além da residência do Imperador, que era muito colorida, havia também a de hospedagem, onde alguns amigos dele se hospedavam, quando eram convidados. Não havia escolas nem hospitais, embora a maioria dos residentes necessitasse de tratamento e aprendizado. "Quem menos sabe, melhor obedece" – dizia o Imperador.

O roxo-escuro, o amarelo forte e o preto eram as cores preferidas dessa cidade, embora o vermelho também fizesse parte do colorido. Música barulhenta ouvia-se no Salão de Dança. Lá, a arte também existe, os salões têm como enfeite quadros com gravuras obscenas e eróticas. Há também um local de leitura, uma biblioteca. Quase todas as cidades do Umbral estão dando atenção à leitura, formando bibliotecas. Os servidores podiam pegar emprestados livros e revistas sobre sexo, crimes e toda a leitura obscena, erótica de que certos encarnados tanto gostam. Eu ia à biblioteca raramente para ver as gravuras das revistas e livros, pois não sabia ler.[15]

Os prédios restantes eram pequenos e amontoados, servindo de residência aos servidores. A minha casa era um simples quarto que podia decorar como quisesse; deixei-o como estava, nunca me incomodei com esses detalhes. Era pequeno, havia um leito, uma mesa, um armário e gravuras de mulheres na parede.

Logo estava trabalhando. Para aprender a servir, fiz primeiramente trabalhos de equipe, depois de guarda. Guardar a cidade era tarefa importante, tínhamos que impedir a entrada dos bons, não deixando entrar intrusos, moradores de outros locais do Umbral, e impedir fugas de torturados e escravos.

Trabalhei entre encarnados, tentando arrecadar mais servidores e escravos para nós. Também servíamos a alto preço a um grupo (nossos servidores no corpo de carne) para prejudicar, a seu mando, outros encarnados,

---

15 – Encarnados que não sabem ler desencarnam e continuam analfabetos. Se alfabetizados em encarnações anteriores, poderão lembrar, quando ajudados. Pessoas boas analfabetas, socorridas, aprendem nas escolas das colônias. Mas os que vão para os Umbrais continuam analfabetos, porque, como narra Sebastião, não há escola por lá, embora, em certas partes do Umbral, haja locais denominados escolas, onde se ensina a vingança.

como fazer certas pessoas beber, brigar etc.[16] Melhor dizendo, participávamos de feitiços, macumbas, trabalhos feitos etc.

Sair dessa organização não é fácil, não se deserta de um Imperador, um chefe, uma organização trevosa. Isso só é possível com a ajuda dos bons. Não quis saber quem era o meu assassino nem me vingar. Achando-se esperto, deveria ele viver e continuar com seus crimes. Depois, a morte não mudou minha vida e não achava ruim viver ali, não conhecia outra forma de vida. Fazia tudo o que me mandavam, os castigos horrorizavam-me. Fui logo promovido a chefe, minha tarefa era a de guardar o castelo e o Imperador. Trabalho fácil, participava das orgias e festas freqüentes por lá. Essas festas eram organizadas, nada de bagunça. "Onde reina a confusão, não há império que agüente", dizia o Imperador.

Anos se passaram até que surgiu um problema. O Imperador reuniu seus chefes e falou:

– Companheiros, sabemos da atuação dos denominados bons; esses idiotas, em vez de cuidar da vida deles, estão sempre preocupados com os que sofrem por aqui. Não os entendo. Importar-se com nossos escravos e torturados, como se valesse a pena. Se aqui estão é porque vibram igualmente, a lei da atração não falha, nenhum bom vem parar aqui. Dizem que ajudam a irmãos,

16 – Sabemos que os nossos irmãos nas trevas trabalham, porém podem prejudicar levando aos vícios os que se afinam com eles.

bem, isso é assunto deles. Temos tolerado, bem... para vocês, meus chefes, posso dizer que nunca conseguimos impedir que eles entrassem aqui e levassem os que queriam acompanhá-los. Mas a perda sempre foi pequena, os que levavam eram normalmente os que há muito estavam por aqui, e logo outros preenchiam seus lugares. Porém, nas últimas semanas, tivemos inúmeras fugas com perda de escravos, torturados e, até, de alguns servidores. Quero atenção redobrada, não deverão sair da cidade, só se for por muita necessidade e deverão sair em grupo. Vou tentar descobrir quem está nos roubando. Preocupo-me porque sei que não é outro grupo do Umbral, receio serem os bons.

Ficamos todos atentos, mas as fugas continuaram. Aí, descobrimos que era um centro espírita que estava nos atacando.[17]

O Imperador chamou-me e mandou que escolhesse alguns servidores fiéis e lá fosse tirar satisfação e ordenar que parassem de mexer conosco, já que não estávamos mexendo com eles.

Achando a tarefa fácil, reuni cinqüenta servidores e, na hora marcada para iniciar os trabalhos deles, dirigimo-nos para lá. Entramos facilmente no local, que não tinha guardas. Só que, estranhamos logo, os fluidos

17 – "Atacados" foi o termo que eles usaram. A equipe espírita estava somente ajudando, socorrendo irmãos que ali estavam em sofrimento, e também apta a orientar os que se cognominavam "servidores".

nos deixaram moles, pesados. Agrupamo-nos, mas não conseguimos nem falar nem nos locomover. Concluí que caíramos numa cilada. Tentei pedir ajuda ao Imperador, não o consegui: as forças magnéticas que envolviam o local impediram que eu me comunicasse com os companheiros que ficaram na cidade.

Os encarnados foram chegando, ficamos a ver e a ouvir, porém continuamos imóveis. Oraram, falaram de Jesus e de seus ensinos. Aí vimos a equipe desencarnada que ali trabalhava. Eram todos tranqüilos, felizes, porém enérgicos e firmes. Eram muitos, todos vestidos discretamente, trabalhando com muita ordem; sua autoridade estava no olhar. Fomos convidados a nos aproximar dos médiuns para receber uma orientação; alguns dos meus companheiros incorporaram. Fiquei aflito, vi-os dominados, humildes, passando depois para uma outra fila.

Chegou a minha vez, o convite foi feito gentilmente. Não quis ir, mas o olhar, a firmeza do autor, fez com que eu o obedecesse e me aproximasse do médium encarnado. Um senhor encarnado conversou comigo. Seu olhar expressava bondade, mas não fraqueza.

– Que faço aqui? – indaguei raivoso.

– Não foi você quem veio?

– Vim para olhar e não ficar. Por que estão libertando nossos escravos? Por que mexem conosco?

– Seus escravos são nossos irmãos tanto quanto você, somos todos filhos de Deus.

– Eles não merecem seus cuidados, estão lá por afinidade; não são bons.

– Você é bom?

– Meu chefe não vai gostar de me ver preso, não consegui me comunicar com ele desde que aqui entrei" – falei, sem responder à indagação.

– Quer falar com ele? Pois faça!

Num estalar de dedos pude entrar em comunicação com o Imperador. Ele estava tão raivoso que nem me deixou explicar, ameaçando-me com todos os castigos se não fugisse e fizesse minha tarefa. Também nem esperei que terminasse. E disse ao encarnado que conversava comigo:

– Pode cortar a comunicação, não quero vê-lo mais.

– Por favor, dê meu recado a ele, diga-lhe que trabalhamos por amor, e que já é tempo de ele pensar nos seus atos e em suas conseqüências, no Pai que o ama, e em mudar de vida.

O Imperador ouviu espumando de ódio, foi cortada a comunicação.

Pensei: "Estou perdido, se me livro daqui, não escapo da ira do Imperador."

– Meu irmão, – disse o orientador –, deixe esta vida de erros, oferecemos a você um outro tipo de vida, venha aprender o bem.

– Não e não. – falei irritado.

Era um dos chefes do Imperador, tinha meu orgulho, não ia entregar-me a um grupo espírita. Sabia que os espíritas eram nossos inimigos declarados porque sabiam de nossa existência e do que éramos capazes, como sabia também que, trabalhando com os bons desencarnados, eram capazes de subjugar-nos. De repente, comecei a sentir dores, vi o ferimento do meu peito aberto, o sangue a jorrar, a agonia de minha morte; olhei para o encarnado que, silenciosamente, me olhava.

– Você é feiticeiro! – exclamei.

– Você incorporado pode ter as sensações da matéria. Talvez necessite colher um pouquinho de sua semeadura.

Meus crimes passaram rápido na minha mente, dando-me dores agudas, um retorno do muito que espalhei, primeiro meus erros encarnados, depois os que fiz como desencarnado.

– Meu irmão – continuou o orientador –, até quando ficará nas trevas do erro? Peça perdão a Deus, sabe que Ele existe, não é?

Não consegui responder, o encarnado elevou as mãos sobre mim, amenizando meu sofrimento, e pude falar:

– Sei, Deus existe, mas sinto-me afastado d'Ele, não quero pedir perdão, são muitos os meus erros, não mereço, devo ficar no Umbral mesmo.

– Deus nos perdoa sempre, quem já esteve sem erros?

– Você já errou?

Vi cenas da existência dele, fora um feiticeiro, dominou multidões, depois vi seu trabalho no bem, reparando seus erros.

– Decida, amigo – continuou o orientador –, oferecemos a você um novo começo, um modo diferente de viver. Veja para onde irá.

Nova visão: vi um local lindo, claro, com flores, prédios grandes, pessoas tranqüilas e felizes. Senti-me um pária, o erro nos poda todas as possibilidades de sermos tranqüilos; o remorso doeu. Acreditava em Deus e d'Ele me afastei espontaneamente, senti naquele momento Seu perdão, Seu chamado, e entreguei-me, pedi perdão de modo tão sincero como nunca tinha feito antes. Afastaram-me dos encarnados, fiquei na fila a pensar nos últimos acontecimentos. Fui transportado para uma escola.

A Escola de Regeneração fica dento de uma colônia. Difere das outras porque não se pode sair sem permissão, nem para ir às outras dependências da colônia. Nessa escola ficam internos que foram, como eu, trevosos, seguidores do mal. Nas outras escolas das colônias vão estudar os que foram "mornos", ou os que, sem terem sido maus, não se preocuparam em aprender. Os estudantes dessas outras escolas andam livremente pelas colônias.

A Escola de Regeneração é grande, confortável, com muitos prédios e amplas salas de estudos. Achei tudo claro, a luz solar a iluminar toda a escola, tudo bem organizado e de cheiro agradável; encantei-me com tantas belezas. Aí, pude comparar as duas cidades: a da colônia e a outra, do Umbral. Lá tudo era escuro, cores fortes, sujeira por todo lado, o cheiro da podridão exalava de todos os cantos, ruas tortas, prédios feios. Ouviam-se blasfêmias, injúrias, palavrões, assim como gritos de dor e choro. Na escola, não, tudo era era paz, ouviam-se em determinadas horas músicas suaves e lindas orações. Ninguém ficava ocioso, todos tinham suas tarefas e as faziam contentes, eram todos sadios e limpos. Soube que havia lugares para os que se achavam doentes, bonitos hospitais, onde eram muito bem tratados.

A escola era cercada por uma rede magnética transparente. Através dela se podiam ver as ruas, prédios e os formosos jardins da colônia. Já no outro dia, conheci toda a escola, lá não há distinção de alojamento, o de seu diretor era como o de um interno.

Eu não tinha educação nem respeito por nada, por isso não podia sair da escola. Logo no primeiro dia, pisei num canteiro de flores. Um professor que passava largou seus livros e, com carinho, replantou o que estraguei. Olhou-me e somente seu olhar me fez ficar corado de vergonha. Desde esse dia tenho trabalhado na jardinagem, gosto muito das plantas. Recebemos na escola orientação de como se portar, conversar, até mesmo respeitar a natureza, como também moral cristã e envangélica. Cada interno tem seu alojamento, onde se tem tudo o que se necessita. Toda a decoração é simples; gostei das salas de aula, bonitas e claras. Aprendi a ler, a escrever e a ter boa educação. São muitos os professores, são pessoas de conhecimento, que mantêm a ordem pelo olhar. Aprendi a apreciar a música e foi com grande emoção que pude ir à biblioteca e ler meu primeiro livro. A biblioteca é linda, grande, com muitos livros de conhecimentos gerais, evangélicos, espíritas e espiritualistas.

Qual foi minha surpresa, meses depois, quando vi o Imperador a passear pelo jardim da escola. Estava diferente tanto quanto eu: limpo, não vestia mais roupas extravagantes, mas um traje simples com o distintivo de nossa escola.[18]

– Imperador! – exclamei temeroso.

– Não tenha medo, Tião, nada sou, ou sou tanto quanto você. Chame-me de Álvaro, é este meu nome.

– Como veio para aqui? – indaguei curioso.

– Acho que foi do mesmo modo que você. Odiei aquele grupo espírita e o encarnado que os orientava. Na nossa cidade, não ficou nenhum escravo, e os torturados, servidores, foram escasseando.

Parti para guerrear com o orientador encarnado, porém ele não era de guerra, sua paz desmontava minhas armadilhas. Pedi auxílio para outros chefes das cidades do Umbral, mas ninguém quis me ajudar. Resolvi enfrentar diretamente o encarnado e fui ao centro espírita. Vi que a equipe desencarnada que com ele trabalhava era maior e mais poderosa que eu. Tentei argumentar, desmontaram meus argumentos com sabedoria, não se impressionaram e até anularam muitas magias. Pela primeira vez, senti-me

18 – Um simples emblema de identificação, usado normalmente nas escolas entre grupos de jovens.

vazio, um inútil, infeliz, sem forças para nada, e pedi perdão a Deus. Sempre tive muito medo de Deus e de seus castigos, entendi que o Pai me ama e que continuo sendo seu filho. Aqui estou para mudar.

Afastou-se pensativo.

Após anos de estudos, mudei, pouco ficou do Tião de outrora. Hoje me chamam de Sebastião; estou tranqüilo, consciente de meus erros e de que posso repará-los com estudo e trabalho, o que faço com gosto.

A Escola de Regeneração só existe em algumas colônias, seus mestres são experientes, de muitos conhecimentos e paciência.

Depois de ter realmente mudado interiormente, o interno sai da escola, podendo escolher: reencarnar, trabalhar desencarnado ou continuar estudando.

Escolhi trabalhar. Hoje, sirvo ao centro espírita que me orientou. Tenho pelo orientador encarnado um amor filial, encanto-me com suas palestras e orientações.

Recordo-me sempre com imenso carinho da Escola de Regeneração, de seus prédios, salas de aula, jardins e da biblioteca. Tenho sincera gratidão por meus ex-mestres, esses servidores fiéis do bem que me ensinaram, instruíram, fazendo-me de necessitado um ser útil.

Felizes os que querem aprender e se esforçam por fazê-lo!

Louvo aos que ensinam!

Sebastião

Na Estrada

Não conseguia recordar como desencarnara, só com a ajuda dos orientadores do plano espiritual, onde estive em tratamento, foi que me lembrei. Meu corpo morreu com uma infecção, tinha febre alta e muitas dores. Por meio de um espinho, contraí tétano. Desencarnei agoniada pelas dores do corpo e sofrimentos morais. Minha existência nada tinha por exemplificar, porém, como me ensinaram: "Cada um tem o que fez por merecer". Narrarei minha última encarnação.

Estávamos no tempo da escravidão, era branca, filha de colonos. Apaixonei-me por um negro liberto, também empregado da fazenda, e ficamos juntos. Meu companheiro era bom, trabalhador; tivemos dois filhos que tinham a pele negra, como o pai, e uma menina, a caçula, branca, como eu. Eu era exigente, vivia reclamando, não gostava de morar no campo, queria conhecer outros lugares. Meu companheiro era ajuizado, achava que deveríamos continuar ali.

Meus filhos eram livres, por serem filhos de branca com um liberto; eram grandes, fortes e trabalhadores.

Picado por uma cobra, meu companheiro desencarnou. Senti por ficar desprotegida e pelo sustento que ele me proporcionava. Mudei da fazenda uma semana depois, fui para uma pequena vila ali perto.

Logo, arrumei um amante, Nélio, um vendedor ambulante, um branco sedutor, muito bonito. Apaixonei-me e ele me propôs irmos embora, andar pelo sertão vendendo seus objetos. Aceitei, contente. Porém, impôs uma condição: que me desfizesse dos meus filhos, dos rapazes; a menina podia acompanhar-nos.

Sinceramente, nem relutei, concordei e ele se desfez dos meninos. O mais velho, Onofre, tinha quinze anos; o outro, Tomé, ia fazer catorze. Nélio disse a um mercador de escravos que os meninos eram dele e os vendeu. O mercador nem procurou saber se eram ou não, comprou-os por uma boa quantia. Não fiz nada para impedir, nem quando o mercador com seus capangas vieram e os prenderam com correntes. Depois de três dias, mais por curiosidade, fui escondida ver o local onde estavam meus filhos. Escutei o mercador dizer a Nélio que iam trabalhar na estrada perto da vila. Vi-os, estavam acorrentados trabalhando na construção da estrada. Os dois estavam tristes e, pela aparência dos outros escravos, eles não seriam bem tratados. Estava espionando-os agachada atrás de um arbusto, porém, como que atraído por um ímã, Tomé viu-me: seu olhar triste gelou-me.

Entusiasmada com a nova vida, esqueci, parti feliz. Vivíamos inconseqüentemente. Nélio prostituiu-me, não me queixo dele, não achava ruim, como também a minha filha, que se tornou uma prostituta e começou a beber. Desencarnou com dezenove anos, com tuberculose. Não tive mais filhos. Nélio e eu éramos parecidos, vivíamos de orgias, roubos e golpes, envelhecemos juntos, chorou quando desencarnei a seu modo amou-me, como eu, erradamente, o amei.

Vi Nélio chorar minha morte e enterrar meu corpo. No leito, fiquei com dores terríveis; aí, vi Onofre, meu filho mais velho.

– Desencarnou, velha maldita?

Logo que o vi, pareceu-me que nada mudara, estava vendo o meu rapaz em tempos idos, forte e bonito, mas em seus olhos vermelhos havia muito ódio e rancor, e suas costas estavam retalhadas pelo chicote. Meu filho disse-me horrores, chamando-me de todos os nomes feios que sabia, apertou minha garganta, sufocando-me. Depois, arrastou-me pelos cabelos, não sabia aonde me levou; hoje sei que fomos ao Umbral, numa sessão de julgamento. Jogou-me no meio da sala e disse a um homem que, naquele momento, julguei ser o capeta – hoje sei que é somente um irmão cego pelas trevas.

– Esta é a pior das mães, vendeu os filhos como escravos!

– Como quer que a castigue? – disse o juiz daquele horroroso e cruel tribunal.

– Meu irmão e eu desencarmos naquela estrada, quero que vague por ela, que vá de um lado ao outro, acorrentada, e que nunca mais veja Nélio.

– Que assim seja!

Vi-me acorrentada na estrada. Meus Deus, como vaguei, andei sem descanso, ia de seu início até o final. Não sei quanto tempo assim estive, até que Tomé começou a visitar-me. Nas primeiras visitas tremia de medo; estava meu filho belo, sorria, mas nos seus olhos via tristeza. Tomé, porém, estava bem, visitava-me tentando ajudar-me. Quando entendi que ele não me faria mal, não me queria mal, escutei-o. Tomé falava-me de Deus, de Sua bondade, que deveria ser boa, arrepender-me de meus erros e pedir perdão a Deus. Ele me perdoou, gostava de mim e tentava ajudar-me. Demorei para entender o que ele dizia. Perguntei de minha filha e de Nélio. Tomé disse que sua irmã voltara a encarnar, que estava bem e que Nélio vagava pelos Umbrais. Contou o que acontecera quando se tornaram escravos. Onofre não aceitou a escravidão, era rebelde e foi muitas vezes castigado. Ele e alguns outros se rebelaram e tentaram fugir. Foram pegos, acusaram Onofre de ser o líder e ele, por castigo, desencarnou no tronco pelas chicotadas, dois anos depois que fora vendido como escravo. Não me perdoou nem a Nélio, esperou o momento certo de se vingar. Tomé continuou escravo, mas os trabalhos eram pesados demais, a comida pouca, o corpo enfraqueceu e, numa epidemia, desencarnou, cinco anos depois. Fez tudo para que Onofre desistisse da vingança, como também todo o possível para que melhorasse e mudasse minha maneira errada de viver.

Saber de tudo não me melhorou; revoltei-me contra a vida, contra a pobreza, contra tudo e continuei a vagar. Um dia, Tomé despediu-se de mim: ia reencarnar.

O tempo e o sofrimento foram me mudando. Aos poucos, fui me arrependendo e achei justo meu sofrimento. Não fora ali que vendera meus filhos e por esse motivo sofreram e morreram? Ali tinha que vagar, sofrer e arrastar as correntes.

Um dia, vi vultos luminosos ao meu lado; ao conversarem comigo percebi que eram duas mulheres, uma branca e outra negra. Falaram com carinho, ofereceram-se para ajudar-me.

– Sim, quero ajuda! – Falei chorando.

Pela primeira vez chorei, desde que desencarnara. Com um simples toque, libertaram-me das correntes, pegaram minhas mãos e subimos do chão. Fui levada a um hospital, onde soube que vaguei por oitenta e sete anos. Fiz um tratamento especial que ajudou a livrar-me do remorso destrutivo. Hoje, trabalho como ajudante nas enfermarias onde estão espíritos socorridos que, como eu, muito erraram.

Tanto tempo fiquei a vagar que muitos dos meus amigos indagam-me o que senti nesses anos todos. Perdi a noção do tempo. Para mim, só havia dia e noite, as correntes me incomodavam, pesando, andava arrastando-as. Senti muito cansaço. Aquela estrada foi para mim meu castigo, por ter vagado e por recordar meu erro. Muito tempo fiquei em revolta, depois no remorso destrutivo. Indagam, também, se não poderia sair dali, me libertar. Nos primeiros anos, Onofre vigiava-me, só com a ajuda dos bons sairia; mas não estava pronta para ser socorrida e não queria socorro. Depois, meu filho Onofre, com outros objetivos, não quis saber de mim, acho que se deu por vingado. Podia sair, mas aceitei o castigo porque o achei justo, merecido, me autopuni; mesmo revoltada, conclui que estava certo colher o que plantara.

Esses julgamentos realizados nos Umbrais são reais, muitos são os juízes, que são cruéis, mas se existem é porque existe o erro, os errados, que aceitam os castigos por se acharem merecedores e, na verdade, são. Lá não são julgados os inocentes. Outra pergunta que me fazem é, caso Onofre também tivesse me perdoado como Tomé, se sofreria esse castigo. Se Onofre tivesse me perdoado, não seria levada a julgamento; esses julgamentos são realizados para punir, por vingança dos que não perdoaram. Iria sofrer, talvez sofreria de modo diferente. Endurecida como era por ter cometido muitos erros, só a dor para acordar-me, para conseguir que voltasse ao Pai, pedir perdão e querer ser perdoada. Também, como acontece com todos os que erram, o remorso traz dores, ou chega o dia da colheita e colhe-se o que se plantou.

Tomé e minha filha estão encarnados e bem; Onofre e Nélio também, são irmãos carnais, aprendem a se amar numa existência de muito trabalho.

Oro muito, tenho esperanças de poder reparar meus erros e poder fazer o bem àqueles espíritos, que, sob, minha guarda de mãe, tanto prejudiquei.

Quero aprender a ser mãe! Uma boa mãe!

Gasparina

No Cemitério

"Que pesadelo horrível!" – exclamava a cada instante entre gemidos que não podia conter.

Não conseguia sair daquele cercado por onde andava arrastando a perna esquerda que estava enferma e dolorida. Sentia também dores abdominais e dores no peito. Não conseguia entender o que ocorria, supunha sonhar, porém, o sonho ruim parecia real e longo demais.

Outras pessoas vagavam também por ali, alguns gemendo, outros rindo, parecendo enlouquecidos; outros zombavam de mim.

– Juvenal, você morreu! É defunto!

– Mentira! – gritava desesperado.

Com o passar do tempo, comecei a desconfiar, embora preferisse continuar na ilusão de que acordaria no meu quarto ao lado de minha esposa, na minha confortável casa, e iria rir de meu sonho. Acreditamos muito no que queremos, apesar do raciocínio chamar-nos à razão. Reconheci o local por onde vagava: era o cemitério da cidade em que morava; andava por entre túmulos e carneiras, não conseguia sair dali ou não queria.

Há tempo me acidentara e machucara a perna esquerda, que doía sempre; agora, estava inchada.

Ficava a cismar, pensando: "Estarei louco? Tenho alucinações? Ou será verdade o que dizem esses malucos: estarei morto? Mas como se me sinto vivo? Por que sinto dores?"

Via muitas pessoas. Para mim, eram todas iguais (confundia encarnados e desencarnados sem distigui-los). Muitas iam lá somente durante o dia para orar e levar flores, e não mexiam comigo. Como algumas me ofendiam, passei a temê-las e fugia das pessoas, querendo ficar sozinho.

O tempo passava, dias e dias, sempre iguais, não conseguia calcular quanto tempo ali estava e comecei a desconfiar que morrera realmente. Tudo era tão diferente do que aprendera e crera ser a morte, que me confundia.

Um senhor que estava sempre por ali chamou-me a atenção. Estava limpo, sério, sem ser triste, ajudava os que ali sofriam, os que gemiam e choravam. O bando que por ali passava debochando, respeitava-o e dele não se aproximava.

"Se este senhor ajuda a muitos, tem de me ajudar", pensei. Aproximei-me dele e falei com orgulho:

– Ei, você aí, pode me ajudar?

– Refere-se a mim, senhor? – indagou sério, fitando-me com olhar bondoso.

– Sim – respondi. – Quero ajuda, se auxilia a outros por aqui tem de me ajudar".

– O senhor está pedindo ajuda?

– Não, estou exigindo. Se ajuda os outros, por que não a mim? A obrigação de quem ajuda é auxiliar a todos.

– Por que tenho obrigação de ajudá-lo?

– Não está aqui para isso? Você está bem, eu não, tem obrigação de ajudar. Ou não tem?

– Você também esteve bem, tinha tudo, saúde, meios, ajudou a outros infelizes – respondeu-me, paciente.

– É verdade, até há pouco tinha tudo, agora me acho assim e nem si o porquê. Era sadio como você. Agora sinto dores e quero ajuda.

– Todos nós, meu irmão, temos a obrigação de ajudar a outros irmãos, de ser útil, mas não temos o dever de ser ajudado. Só porque estou bem devo ajudá-lo? Você também esteve e não ajudou. Não se exige ajuda, o auxílio que quer deve ser pedido e com humildade e sinceridade.

– Pode dizer-me se estou louco ou se esses malditos que me ofendem dizem a verdade: morri?

– Senhor Juvenal – disse-me bondosamente –, procure raciocinar com calma sobre os últimos acontecimentos. Pense no que fez de sua existência. Não colhe exatamente o que plantou?

– Ora. – interrompi. – Não quero sermões, quero ajuda. Vai ajudar-me ou não? Detesto pessoas que fazem distinções para ajudar.

Afastei-me, fiquei num canto e pus-me a espiar aquele estranho senhor que, com paciência, conversava ora com um, ora ajudava a outro.

– Distinção! – resmungava.

Mas, estranho, sem que pudesse evitar vieram-me à mente as caridades que fiz. Não era rico, ou melhor, não fora, mas sempre tive o suficiente para mim e minha família, nada me faltava, tinha saúde, disposição. Caridade para mim era esmola. Não dava a todos, achava que muitos dos infelizes pedintes eram vagabundos, preguiçosos. Dava esmolas à Igreja, prendas para festas e me orgulhava ao ver meu nome citado como benfeitor.

– Esmolas! – resmunguei novamente. – Necessito de esmolas? Acho que não, que farei com dinheiro? A ajuda de que necessito é consolo, para sair deste lugar e entender o que se passa comigo. Alguns pensamentos que não queria teimavam em vir à minha mente: "Consolei alguém? Fui visitar e conversar quando pessoas enfermas necessitavam? Não, não! Não gostava dessas visitas e consolos, achava-as chatas. Cada um tem a infelicidade que merece, costumava dizer".

Entretanto, julgava-me bom, não pecava segundo os preceitos da minha Igreja, seguia seus mandamentos, não roubara, não matara, era fiel à minha esposa, rezava e, sempre que possível, ia aos cultos da minha Igreja, quando não tinha algo mais interessante para fazer.

"Se morri – continuava a pensar –, é injusto o que sofro. E tenho que exigir do serviçal deste lugar um tratamento de respeito; poderia ameaçá-lo com reclamações. Mas reclamar para quem? O certo, concluí, é que sofro e ele está bem. Deveria ter uma razão explicável para este fato. Comecei a pensar muito no que ele me dissera. Todos nós temos o dever de ajudar e não de exigir ajuda. Colhe-se da planta que se plantou."

Depois de muitos dias, aproximei-me dele mais brandamente:

– O que o senhor faz aqui? Vejo-o a cuidar sempre ora de um, ora de outro. Isso é trabalho? Quem é seu patrão? Ganha bem?

O socorrista sorriu.

– Senhor Juvenal, nem todo trabalho visa ao ganho material, amo o que faço. Trabalho para Aquele que disse: "Faça aos outros o que gostaria que lhe fizessem!"

– Jesus!!! Trabalha para Jesus?!

– Meu trabalho consiste em ajudar meus irmãos que sofrem. Aquele que faz essa ajuda por amor é Seu servo.

– Bem, quero ajuda. Não fui tão ruim assim, dei esmolas, não pequei.

– Fez por amor ou ostentação? É orgulhoso, sr. Juvenal. Não seguiu os mandamentos para ser tachado de bom? Não deu esmolas para ser benemérito? Não recebeu sua recompensa? Todos nós temos obrigações de sermos honestos e bons. É dever de todos nós, principalmente dos cristãos que seguem os preceitos e ensinos de Jesus, ajudar a todos. Muitos esquecem do principal: de amar a todos como Ele nos amou. Só podemos exigir de nós mesmos bondade, caridade, justiça e virtude, não exigir dos outros. Temos a obrigação de fazer o bem, mas preferimos exigir essa obrigação das pessoas que nos cercam. Se temos condições de ajudar, é nosso dever fazê-lo, são muitas as formas de ser útil, mas nem sempre o somos. Mas quando temos necessidade de ajuda, exigimos e imaginamos que os outros têm a obrigação de ajudar-nos e que nós não temos essa mesma obrigação.

Afastei-me e fiquei pensando no que ouvira. O socorrista tinha razão: orgulhava-me de ser honesto, benemérito da minha Igreja, nunca havia pensado que não estava fazendo nada de extraordinário e, sim, minha obrigação. Lembrei-me de uma passagem do *Evangelho* na qual Jesus ensina que um servo que faz tudo que lhe é mandado não terá seu senhor agradecido, pois o servo só cumpriu sua obrigação. E conclui: "Somos servos inúteis; fizemos o que devíamos fazer".[19]

Comecei a ter mais paciência, aceitar sem reclamar de minhas dores, não revidar as ofensas nem me aborrecer com elas; ao verem que não ligava mais para as gozações, pararam de mexer comigo. Passei a aproximar-me mais do socorrista, sem lhe dirigir a palavra; pus-me a observá-lo no

19 – *Evangelho* – Lucas XVII – 7–10.

que fazia e ouvir o que dizia. Ele notara-me, olhava-me sempre com seu modo tranqüilo e sorria.

Ele era bondoso, educado, falava a todos de Jesus, ensinava a orar, nunca vira dedicação maior em alguém.

Estava em farrapos como a maioria dos que sofriam por ali, estava sujo, descabelado; julgando-me pelo que via, deveria estar horrível. Mudei meu modo de ser. A dor, a humilhação abrandaram meu orgulho, já não achava injusto o que sofria.

Numa tarde, quando pensava nisso, senti uma mão sobre meu ombro. Tocara-me de forma tão suave que me emocionei ao ver que era o socorrista.

– Senhor Juvenal, como está?

– Juvenal, por favor. Sofro, amigo.

– Por que não pede perdão a Deus e lhe roga ajuda?

– Serei ouvido?

– Servos do Pai o ajudarão.

– Poderia me ajudar? – indaguei, encabulado.

– Sim, posso, venha comigo.

Pegou nas minhas mãos, saímos facilmente daquele lugar, meu cativeiro por anos. Não entendi naquele momento o que ocorria, hoje sei que volitamos. Levou-me a uma sala grande, com muitas pessoas, algumas eram como nós, o socorrista e eu, outras, no corpo físico.

– Fique aqui e receberá ajuda – disse meu amigo.

Fui tratado com muita bondade; escutando um homem falar, entendi que ali era um centro espírita, temi. Não gostava do Espiritismo, achava que espíritas eram fanáticos e todos meio loucos que mexiam com demônio e almas penadas. Após alguns minutos, tranqüilizei-me; oravam com fé, leram o *Evangelho*, e eu raciocinei:

– Não era eu uma alma penada? Morri e vagava. Os espíritas não mexiam com almas penadas, ajudavam-nas, não tinham medo, orientavam-nas, estavam fazendo para mim a maior caridade que já recebera.

– Venha aqui, por favor, aproxime-se desta senhora e fale do que necessita – convidou-me uma moça muito bonita.

– Boa-noite! – respondi à saudação que me fizeram e comecei a me queixar: doía, aqui, ali, vagava preso a um determinado lugar etc.

– O irmão sabe que desencarnou?

– Desencarnou? – indaguei; nunca ouvira essa palavra.

– Seu corpo físico morreu, está vivendo agora sem ele, porque não acabamos com a morte.

Colocaram à minha frente uma tela e nela vi pedaços de minha existência. Era forte, sadio e, de repente, tive um enfarte: meu corpo morreu, vi-me no caixão, meu enterro. Chorei.

– Nunca pensou na morte do seu corpo?

– Não pensava.

– Vamos ajudá-lo. Pense em Jesus.

Desencarnados bondosamente ajudaram-me, senti-me melhor.

– Quero ficar com vocês! – exclamei.

– Vai ser encaminhado para um local onde receberá ajuda e orientação. Siga com este irmão.

Bondosamente, fui encaminhado para uma condução, aerobus[20], como me explicaram, juntamente com outros socorridos. Obediente, humilde, passei a ser agradecido, as dores acabaram, logo estava bem e fui encaminhado a uma escola onde aprendi a viver como desencarnado.

Estava há algum tempo na escola quando recebi agradável visita, o socorrista que tanto me ajudara.

Abraçamo-nos comovidos.

– Agradeço-lhe, fez tanto por mim.

Deu, como sempre, um sorriso doce e alegre. Contei-lhe as novidades e como me sentia feliz ali.

– Amigo – disse-lhe –, não esqueço do tempo em que fiquei a vagar (não fora pouco); recebi uma preciosa lição, aprendi a ser humilde. Sabe o porquê de ter ficado no cemitério e de lá não sair? Sei que se pode vagar por muitos lugares.

– Juvenal, pode-se realmente vagar por muitos lugares, são muitos os que, como você, ficam nos cemitérios, perto dos restos do corpo físico. Sentem-se presos a eles, talvez por ter cultuado o físico como o principal objeto que tiveram no mundo. Você não foi mau. Orgulhoso, sim, mas nada fazer é quase sempre fazer o mal, a sensação de vazio acompanha os que regressam à espiritualidade sem boas obras.

Um dia perguntei-lhe o que ganhava com seu trabalho:

---

20 – Aerobus: carro aéreo utilizado pelos socorristas para transportar os desencarnados que ainda não sabem volitar.

– Aqui tudo é harmonia, beleza, gosto de tudo e de todos, estou bem, mas sinto-me desajustado, acho que não mereço estar aqui. Quando encarnado fiz o que me foi recomendado pela minha religião, esperando recompensa, como a de estar um dia num lugar assim. Queria que me explicasse, obedecendo a quem você auxilia tanto, o que recebe, o que ganha com seu trabalho, com a ajuda que faz?

– Juvenal, palavras, na maioria das vezes, não conseguem expressar o que sentimos interiormente, o que motiva nossas atitudes mais espontâneas. Vou procurar alguém que possa explicar melhor, espere.

Saiu e logo voltou acompanhado de um senhor de aspecto muito agradável, que me apresentou:

– Este é Artur, um instrutor que veio nos ajudar.

Cumprimentei-o, contente, e fomos para um canto do jardim, embaixo de uma linda árvore.

– Vamos neste instante nos desligar de nossos pensamentos, desejos e aspirações. Vamos simplesmente entrar em comunhão com Aquele que é Onipresente – disse Artur e, em seguida, fez uma pequena oração:

– Senhor, meu Pai Misericordioso, envolva-nos em maiores porções do Seu amor, ajude-nos a esvaziar os nossos condicionamentos, cobranças, desejos particulares, ajude-nos a ver a Sua verdade que é a nossa verdade, paz e harmonia; integre-nos em Seu condicionamento.

Querendo compreender, sintonizei com o instrutor e a resposta veio rapidamente em minha mente. Vi uma casa, uma família, um senhora idosa a fazer o que fazia todos os dias, lavar, cozinhar etc. Ao zelar por aquele lar, que não era só dela, ali, muitos desfrutavam da limpeza, asseio e conforto, ela esforçava-se para que todos possuíssem harmonia e alegria. Naquele dia, estava mais atarefada, tinha muitos quitutes a fazer. A visão pulou para o momento da ceia, muitas pessoas vieram à sua casa e foi muito o seu trabalho. Observando-a, entendi que ela tudo fazia, realizava por amor, que a felicidade dela consistia em ver todos felizes. Ali ninguém estava a bajulá-la, não iriam pagar, não exigiam, eles simplesmente a amavam e ela amava-os mais ainda. Era muito feliz, porque a felicidade reside no amor incondicional.

Veio, depois, a visão de uma criança recém-nascida, depois jovem, adulta; compreendi que aquele corpo não fora criado por aquele espírito. Deus o criou e proveu seu sustento. Deus doara aquele corpo em todos os seus períodos: a força física, a capacidade intelectual; ele não tinha poço de depósito, Deus é que lhe provia. Enfim, tudo o que o indivíduo possui, recebe de Deus. Portanto, nada merecia pelo que fazia, ele simplesmente estava usando e atualizando os bens que Deus lhe concedia.

A visão acabou e o instrutor falou:

– Compreendeu? Somos filhos de Deus, o universo é nossa casa, devemos amar, nos esforçar de todas as maneiras para que a harmonia e a felicidade resplandeçam. Não porque Deus mandou, o fulano disse ou ensinou, mas porque sentimos que a única maneira de demonstrar nosso amor a Deus é amando, cuidando daqueles em que Ele está presente.

– Deus seja louvado, libertei-me do meu egoísmo! – exclamei. – Não farei mais nada sofrendo; todo meu trabalho, fácil ou difícil, farei com dedicação e amor.

Lembrei-me das visões, a primeira da mãe que fazia tudo espontaneamente e a segunda do indivíduo que nada tinha.

– Só se deixa de ser servo inútil – concluiu Artur – quando deixamos de fazer porque fomos mandados ou para receber algo em troca. Só é servo bom e fiel aquele que faz por amor. Só assim, Juvenal, poderemos ser felizes, amando a todos, amando a nós mesmos.

– Abençoadas as oportunidades que o Pai nós dá, aprenderei a ser útil! – exclamei.

Despedimo-nos contentes.

Juvenal

Religião de Fachada

Lembro somente que, no meio da minha pregação, senti uma tonteira, depois uma dor terrível no peito. Acho que desmaiei porque não vi mais nada. Ao voltar do desmaio, estava só no templo, o salão enorme estava vazio, silencioso. Sentindo uma estranha fraqueza, sentei numa poltrona e indaguei o que poderia estar fazendo ali sozinho. Olhei o relógio da parede e constatei que eram vinte e três horas. Fraca claridade entrava pelos vidros decorados. Minha igreja era linda, orgulhava-me dela, toda bem decorada, luxuosos tapetes, tudo de fino gosto para enfeitar a Casa de Deus.

Não consegui me lembrar por que estava ali e não em casa. Resolvi ir para meu lar que, modéstia à parte, era uma linda mansão num bairro chique.

– Daniel! – escutei alguém chamar o meu nome baixinho.

Virei a cabeça e vi um vulto de mulher que se aproximou; gelei ao reconhecer minha mãe que há tempos morrera.

– Mãe!!! – exclamei aflito. – Valei-me Deus e seus Anjos. A senhora está morta! Por que vejo sua alma?

– Porque seu corpo também morreu!

– Mentira! A senhora é uma herege, sempre foi, não fala a verdade. É um espírito impuro! Volte ao Inferno!

– Daniel, meu filho, falo a verdade, sempre falei. Quando viva no corpo carnal, alertei-o para que não enriquecesse com dinheiro alheio. Deus, Jesus, nunca cobraram benefícios.

– De novo? Nem morta, entende? Afasta-se de mim, é um satanás! Não vê as obras assistenciais que fiz, que faço? Nossa creche abriga inúmeras crianças. Em nome de Deus, afaste-se!

O vulto desapareceu e fiquei a cismar, nunca pensara em ver a alma de minha mãe. Gostava dela, só que sempre implicava comigo, não comungávamos dos mesmos ideais, não seguira minha religião como deveria, era uma herege. Imagine, dissera que morri. Era eu um conhecedor da *Bíblia*, sabia-a quase de cor, pregava a palavra de Deus com minha voz clara e agradável. Era um temente, um crente, orava muito todos os dias. Sim, lidava com o dinheiro que os fiéis doavam, com ele erguera aquele templo belo e confortável, fizera a creche. Tínhamos a caixinha que auxiliava os membros de nossa igreja quando em dificuldade, embora isto raramente acontecesse. Ajudava com minha influência a todos os meus fiéis para que tivessem bons empregos: vadios não eram aceitos. Aqueles que não trabalhavam era convidados a se retirar e não vir mais ao templo. Tinha uma boa casa, bons automóveis, era digno do meu salário. Imagine? Morto! Quando morresse, teria uma linda morte, os Anjos do Senhor viriam buscar-me e teria um julgamento pomposo. Acabei dormindo na poltrona e não fui para casa. Acordei com barulho, duas mulheres abriram o salão para limpá-lo, não me viram, comentavam a minha morte. Escutei estarrecido.

– Nosso pastor Daniel morreu! Que tristeza!

– Deve estar sentado ao lado do Senhor!

– Seu enterro foi lindo! Tantas flores! A esposa chorou tanto!

Fiquei como que pregado na poltrona, elas limparam e não me viram. Ali no templo permaneci, sem coragem de sair. No dia do culto, o salão encheu-se de fiéis, um outro pastor fez a pregação, oraram por mim. Vi meus familiares nos lugares da frente, e como sempre, ninguém me viu. Fiquei na poltrona onde não sentou ninguém. Comparei-me com as outras pessoas, estava diferente, meu corpo parecia leve; contudo, podia sentir-me, apalpar-me. Chorei. Todos saíram e fiquei novamente sozinho, levantei-me da poltrona e no meio do salão clamei ao Senhor em desespero:

– Deus, dediquei minha vida ao Senhor. Por que estou assim? Se morri, que faço aqui? Por que não estou no Seu seio? Ajuda-me, Pai!

Senti alguém perto de mim, vi um vulto sem contudo distinguir quem seria. Sua presença confortou-me. Falou com voz tranquila:

– Daniel, está assim por orgulho! Ama a Deus mais que a você? Ama a seu próximo mais que a você? Venha comigo, deverá ver muitas coisas.

Saímos, passamos à rua, o vulto ia sereno ao meu lado. Logo, pessoas como eu, desencarnadas, acercaram-se de nós.

– Pastor Daniel! – escutei muitos exclamarem.

Não lhes dei confiança, eram bêbados, viciados que andavam pela noite, nunca foram rezar. O vulto disse:

– São nossos irmãos!

O vulto levou-me ao cemitério, nunca fora ao Campo Santo à noite, porém, meu acompanhante dava-me coragem. Paramos ao lado de um luxuoso túmulo, li meu nome na placa de bronze juntamente com meu retrato. Sentados no túmulo estavam alguns desencarnados; riram de mim, caçoando. Meu acompanhante não me defendeu, também nada respondi, era superior.

– Ajuda-me! Socorra-me.

Maltrapilhos cercaram-nos, tentando agarrar-me, afastei-os, estavam sujos e fedorentos.

– São nossos irmãos! – insistiu o vulto.

Saímos dali, senti-me aliviado. Fomos a uma igreja católica, várias pessoas entre as muitas presentes oravam no seu culto de fé, outras ali estavam presentes só fisicamente. Dali, fui levado a outras igrejas, templos, locais de orações, percebi que uma grande quantidade de pessoas amava a Deus e orava com fé sincera.

– Daniel, não é só sua religião que ama a Deus e ora. Religiões são setas no caminho, são as diversas formas de interpretar as *Escrituras Sagradas*, os *Evangelhos*. Religiões não fazem por nós o que nos é devido fazer, ajudam-nos a iluminar o caminho a ser percorrido; somos, portanto, nós a caminhar. Você desprezou outras crenças, escolheu algumas pessoas para seus irmãos. Entretanto, o Pai não age assim, todos são Seus filhos, somos todos irmãos. O Pai não nos separa por crenças. Mas nós é que fazemos por sermos separados por nossos atos e ações.

Depois, fui levado a uma reunião espírita. Sinceramente, não gostava do Espiritismo, eles não acreditavam em satanás, diziam que eram seus irmãos e que o demônio estava nas trevas do erro temporariamente. Lendo meus pensamentos, o vulto que me conduzia replicou:

– Por ter errado ou por estarem no erro, esses espíritos a quem você chama de satanás, diabo, são nossos irmãos e podem se regenerar tornando-se espíritos de compreensão e bons.

Não pude deixar de comparar os dois locais de orações: o meu, luxuoso, ali, simples demais para ser Casa de Deus. Novamente o vulto esclareceu-me:

– Daniel, Deus Pai é o Criador do universo. Que existe que não pertença a Ele? O universo todo é Sua casa. Locais de orações, de estudos da alma não necessitam ser luxuosos. Humildes sentem-se bem na simplicidade!

Vi ali, além dos encarnados, muitos desencarnados, conforme o vulto explicara-me. Entre os desecarnados, estavam muitos maltrapilhos, doentes e, pela expressão e modos de alguns, espíritos maus. Todos estavam quietos esperando o início da reunião.

Para meu espanto, oraram com fé e sinceridade, uma senhora leu um livro que continha partes dos textos dos *Evangelhos*. Leu a parábola do Samaritano. Parábola que sabia de cor. Porém, ao ler as explicações contidas no livro, impressionou-me, principalmente, a parte que dizia: "Indaga pela ortodoxia da fé? Faz alguma distinção entre o que crê de uma maneira e o que crê de outra? Não, pois Jesus coloca o samaritano, considerado herético, mas que tem amor ao próximo, sobre o ortodoxo a quem falta caridade."

Continuou a senhora lendo e comentando o texto: "O Maior Mandamento". Nunca havia entendido daquela forma esse ensinamento. Como foi explicado, caridade e humildade, essa é a única via de salvação; egoísmo e orgulho, essa é a via da perdição. E, finalizando, leu "A Caridade Segundo São Paulo".[21]

– Meus Deus! – exclamei. – Como fui orgulhoso, o orgulho é pai de todos os vícios. Fui religioso de atos externos, esqueci-me do principal, de ser como Jesus foi: humilde!

---

21 – Daniel refere-se ao Capítulo XV – "Fora da Caridade não há Salvação" de *O Evangelho Segundo o Espiritismo*.

Lágrimas escorreram-me pelas faces. Ali ninguém era repelido por estar sujo, aqueles desencarnados gemendo, fétidos, eram tratados do mesmo modo que os trajados ricamente. Nunca acreditei que os mortos da carne pudessem se comunicar com os que denominava "vivos". Achava essas manifestações mediúnicas ridículas. Agora ali estava como desencarnado e pude comprovar a autenticidade dessas manifestações. Encarnados falavam transmitindo pensamentos, queixas etc. dos desencarnados, e, por meio de fluidos doados, de orientações, da comprovação do estado deles, eram ajudados.

Ajoelhei-me e orei:

– Pai, perdoa-me! Amo-O demais, estive errado, mas, amo-O.

Fui erguido e abraçado pelo vulto que ali me conduzira, olhei-o e dessa vez o vi, era Jonas, um antigo pastor da minha igreja a quem considerava sem ambição. Envergonhei-me.

– É, meu irmão! – ele exclamou. Seu olhar demonstrava o imenso carinho que tinha por mim.

– Estive no erro, na religião errada! – disse, chorando.

– Não é a religião errada, as religiões são boas, principalmente aquelas que melhoram as pessoas. Errados são os indivíduos dentro das religiões, indivíduos que se dizem religiosos mas apenas são exteriormente, fazem atos errados em nome das religiões, até de Deus. Você, Daniel, foi religioso, seguiu os preceitos conforme eram do seu interesse, escolheu para serem irmãos somente os que pensavam como você. E para ensinar exigia que seus fiéis doassem, teve um salário alto para ser líder de sua crença. De fato, fez obras assistenciais, mas recebeu grande remuneração por seus préstimos. Não se exemplificou no Mestre Jesus, que recomendou aos seus discípulos: "Dai de graça o que de graça recebestes". Venha, Daniel, levá-lo-ei para um local onde aprenderá que o seu corpo morreu, não será julgado com pompas. Irá como todos os socorridos aqui para o plano espiritual, onde somos todos irmãos.

– Jonas, desprezei muitas religiões, esqueci que Deus é um só e que todas as crenças ensinam a amá-Lo, porém muitos O amam, mas não fazem Sua vontade. Ama a Deus e não ama a seu próximo, ou, como eu escolhi, alguns para serem meu próximo. O Espiritismo revela muitas verdades e ensina a amar a todos como irmãos, não repele os desertores do bem, ensina como é a desencarnação, explica com sabedoria os ensinos do Mestre Jesus.

– A quem muito sabe, muito lhe será pedido. O Espiritismo está orientando a muitos. Infelizmente, muitos vêm até aqui, em centros espíritas, só para receber benefícios e não para aprender. Entram para o Espiritismo, mas o Espiritismo não entrou ainda em seu íntimo. Os que aprendem, os que seguem a Doutina Espírita, mudam a maneira de viver, a morte não os apavora, não esperam pieguice com a desencarnação, e a morte do corpo somente lhes apresenta a outra forma de viver.

Anos se passaram, aprendi muito, tenho pelos ensinos espíritas enorme carinho, tenho conduzido minha forma de viver pelas explicações que faz o Espiritismo sobre os ensinos de Jesus. Tenho procurado cultivar a humildade porque entendo agora o que Jesus disse ao ensinar: "Bem-aventurados os humildes!"

Daniel

Artigo escrito pelo José Carlos Braghini, carinhosamente cedido a nós, que transcrevemos, agradecidos

É compreensível o entusiasmo, a euforia, o desejo de atividades exteriores, próprios dos iniciantes, mas é de esperar, dos mais maduros, atitudes sóbrias e conscientes. Temos visto, de modo geral, nossos companheiros, ditos adeptos, participantes de núcleos religiosos, mobilizando atividades exteriores de grandes proporções.

Não que sejamos contra essas atitudes, mas, sim, queremos que elas sejam motivadas, sustentadas por uma compreensão, por um estado de vida interior dos homens. Duas circunstâncias levam nossos semelhantes a agir externamente. A primeira, a mais pobre, é que precisam da aprovação dos semelhantes para que se sintam seguros. A segunda, a mais sutil, e que mais se tem apresentado naqueles que se dizem religiosos, é o desejo da recompensa em outra vida por toda sua abnegação e dedicação. Agindo com egoísmo, desejando ser melhor que outros, grande será a frustração, ao desencarnar, dos que cultivam atos exteriores. As leis cósmicas não são subornáveis, não cedem às chantagens emocionais exteriores. Muitos, libertos do corpo físico, estarão quais os do ensinamento de Jesus: "Senhor, Senhor, ensinamos nas praças, em Teu nome expulsamos demônios, em Teu nome vinculamos tuas bênçãos. E o Senhor responde: 'Não sei quem sois, apartai-vos de mim, vós que obrais a iniqüidade'".

Portanto, é necessário repensar nossas atitudes, é necessário viver com seriedade e não somente com entusiasmo. Como também por comodismo, desejar favores de santos e espíritos. É necessário honestidade e seriedade com tudo o que permanece, e devemos ser atuantes. Em suma, devemos ser aqui, agora, e não deixar para o futuro, ou para outros, o que nos compete fazer, não entregar a outros a responsabilidade que é nossa.

Não fazer nada para desenvolver nossas potencialidades, não aproveitar nossa encarnação para evoluir, ao desencarnar podemos ouvir o que ouviu o servo mau e preguiçoso da Parábola dos Talentos. As palavras ensinam, os exemplos arrastam. Quando não houver homens vivendo uma religiosidade vazia, quando todos os homens, independentemente de qualquer seita, não forem mais pedintes, mendigos espirituais, desejando favores e comodidades para gozar e facilitar sua permanência no corpo físico.

Quando todos estiverem diuturnamente não preocupados em receber, mas, sim, dispostos a dar o melhor de si para o bem de tudo e de todos, não teremos mais espíritos sofredores para ser socorridos e orientados. Pois todos, assim, seremos um com Deus, participando do Seu concerto universal.

A obra é divina, a responsabilidade é nossa; portanto façamos, sem esperar lucros, ou por qualquer atitude que seja. Tudo é por Deus, e Deus nos permite usufruir como se fosse nosso. Portanto, tudo o que viermos a fazer para quem quer seja, semelhantes, racionais e irracionais, estaremos fazendo a nós mesmos, pois vivemos numa única casa: o cosmo!

São Sebastião do Paraíso – MG, Abril/1991

Ao terminar a leitura deste livro, provavelmente você tenha ficado com algumas dúvidas e perguntas a fazer, o que é um bom sinal. Sinal de que está em busca de explicações para a vida. Todas as respostas que você precisa estão nas Obras Básicas de Allan Kardec.

Se você gostou deste livro, o que acha de fazer com que outras pessoas venham a conhecê-lo também? Poderia comentá-lo com aquelas do seu relacionamento, dar de presente a alguém que talvez esteja precisando ou até mesmo emprestar àquele que não tem condições de comprá-lo. O importante é a divulgação da boa leitura, principalmente a literatura espírita. Entre nessa corrente!

Conheça um trecho da magnífica obra

O diário de Sofia

Narrado pelo Espírito
Nina Arueira
Psicografado pelo médium
Alceu Costa Filho

Entre a vida e a morte, Sofia vive uma experiência fantástica. Hospitalizada, em estado de coma, sente-se viva e consciente, agitando-se em pensamento na tentativa desesperada de comunicar-se. É nessa condição que Sofia vai descobrir, do outro lado da vida, a origem do seu sofrimento. Um romance emocionante e inesquecível, nos lembrando do inevitável encontro com a eternidade.

Envolvida pelas vibrações de minha prece, notei a presença de Mário em seu lugar habitual. Como eu, ele mantinha seus olhos fechados e certamente seus pensamentos voltados para Deus, me acompanhando solidário. Ao término de minha prece, ainda com os olhos cheios de lágrimas, me dirigi ao amigo querido:

"Mário, perdoe-me. Tenho me sentido muito insegura ultimamente. Não me deixe sozinha. Você é o único com quem eu posso conversar!"

"Não se preocupe, Sofia. Eu nunca saio de perto de você. Esta é minha obrigação. Mesmo quando você não me vê, fique certa de que estou por perto. Não só eu, mas também outros amigos queridos que você soube cativar em outros tempos! Linda prece, menina, e suas palavras foram sinceras.

Tenho certeza de que muita coisa vai mudar em seu coração a partir deste momento."

"Mas é muito difícil, Mário, esquecer de tudo. Diga-me se já é chegada a minha hora de morrer."

"Isso é desígnio de Deus, Sofia. Mas vamos ser realistas: você está em coma há dezessete dias e só agora apresenta alguma melhora. Procure aproveitar bem os benefícios que a situação lhe proporciona, procurando na dor que assola o seu coração os ensinamentos que Deus lhe envia. Não tenha medo, minha querida. Estamos todos sob a proteção do Pai e de Seus mensageiros! Nossa função a seu lado é ajudá-la na compreensão dos acontecimentos do momento, como eternos compromissados que somos pelos laços fraternos que nos unem há muitos séculos. Minha mão amiga e meu ombro solidário estarão sempre presentes a seu lado, e em breve você compreenderá a grandiosidade da Justiça Divina, que permite reencontros em exercício do amor, em substituição ao ódio, construindo um amanhã de paz para todos nós! Por hora, viva, minha menina, acredite na vida, seja ela em corpo de carne ou em espírito, e ame a Deus e a dor que a visita nos dias de hoje; assim vencerá as difíceis noites de seu passado, quando o sol da fé vier visitá-la no amanhecer que se aproxima."

Nair terminara de me arrumar e, sentada, estava pronta para iniciar a leitura de um dos livros quando se voltou para mim, dizendo:

– Que é isso, menina? Chorando por quê? O que significam estas duas lágrimas? Nada disso! Estou aqui do seu lado e não quero vê-la chorando. Vou enxugar seu rosto.

Pacientemente Nair passou a limpar meu rosto, não conseguindo conter suas próprias lágrimas.

...

Você gostou deste trecho?
Então não deixe de ler este belíssimo romance!

Romances de Antônio Carlos

Psicografados por Vera Lúcia Marinzeck de Carvalho

Filho adotivo

Dois irmãos são dados para adoção ainda crianças. Já adultos, voltam a se encontrar e começam a namorar. Como a espiritualidade os ajudará? Não deixe de conhecer essa história repleta de surpresas.

Muitos são os chamados

Marcos, jovem médico recém-formado, vê em sua profissão apenas um meio de ganhar dinheiro e ignora totalmente os apelos da espiritualidade na ajuda aos mais necessitados. Mas, um dia, perceberá seu erro...

Reconciliação

Um dos mais belos romances espíritas publicados até hoje. Tudo começa com um duplo assassinato, o pai matando a facadas o filho e a própria esposa. Depois, uma lição maravilhosa de perdão e reconciliação. Se você gosta de um belo romance, não pode deixar de ler este livro.

Reparando erros de vidas passadas

Conheça a história de dois médicos que em encarnações passadas fizeram experiências científicas com seres humanos e assumiram assim inúmeros débitos. Um livro fascinante!

Leia e recomende!

À venda nas boas livrarias espíritas e não-espíritas